초능력 급수 한자 + 초능력 쌤이 우리집으로 온다!

▶ 초능력 쌤과 함께하는 한자 기출문제 풀이 강의 무료 제공

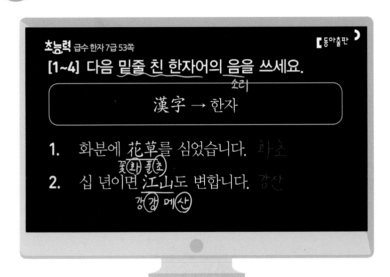

 친구가 한자 급수를 땄다고 자랑을 해요. 저도 따고 싶은데 어떻게 하면 좋죠?

 초능력 급수 한자로 공부하면 급수 한자뿐 아니라 교과서 어휘력도 키울 수 있다고!

 한자에 어휘력까지요? 둘 다 어려운 것 같은데 혼자서 잘할 수 있을까요?

 초능력 쌤만 따라오면 돼! 친절한 기출문제 풀이 강의를 들으면 자신감이 생길 거야!

 와~! 초능력 쌤이랑 공부해서 저도 꼭 한자 급수도 따고, 어휘력도 키워 볼래요!

📶 초능력 급수 한자 무료 스마트러닝 접속 방법

방법 1

방법 2

무료 스마트러닝

동아출판 홈페이지 www.bookdonga.com에 접속 하면 초능력 급수 한자 무료 스마트러닝을 이용할 수 있습니다.

핸드폰이나 태블릿으로 **교재 표지나 본문에 있는 QR코드**를 찍으면 무료 스마트러닝에서 급수 한자 기출문제 풀이 강의를 이용할 수 있습니다.

초능력 쌤과 키우자, 공부힘!

국어 독해 P~6단계(전 7권)

- 하루 4쪽, 6주 완성
- 국어 독해 능력과 어휘 능력을 한 번에 향상
- 문학, 사회, 과학, 예술, 인물, 스포츠 지문 독해

비주얼씽킹 한국사 1~3권(전 3권)

- 한국사 개념부터 흐름까지 비주얼씽킹으로 완성
- 참쌤의 한국사 비주얼씽킹 동영상 강의
- 사건과 인물로 탐구하는 역사 논술

맞춤법+받아쓰기 1~2학년 1, 2학기(전 4권)

- 쉽고 빠르게 배우는 맞춤법 학습
- 매일 낱말과 문장 바르게 쓰기 연습
- 학년, 학기별 국어 교과서 어휘 학습

비주얼씽킹 과학 1~3권(전 3권)

- 교과서 핵심 개념을 비주얼씽킹으로 완성
- 참쌤의 과학 개념 비주얼씽킹 동영상 강의
- 사고력을 키우는 과학 탐구 퀴즈 / 토론

수학 연산 1~6학년 1, 2학기(전 12권)

- 정확한 연산 쓰기 학습
- 학년, 학기별 중요 단원 연산 강화 학습
- 문제해결력 향상을 위한 연산 적용 학습

★ 연산 특화 교재

- 구구단(1~2학년), 시계·달력(1~2학년), 분수(4~5학년)

급수 한자 8급, 7급, 6급(전 3권)

- 하루 2쪽으로 쉽게 익히는 한자 학습
- 급수별 한 권으로 한자능력검정시험 완벽 대비
- 한자와 연계된 초등 교과서 어휘력 향상

급수 한자와 초등 교과서 어휘를 한 번에!

초능력力

급수 한자

7급

1~3학년

(사) 한국어문회 주관, 한국한자능력검정회 시행 기준

● 한자능력검정시험이란 무엇인가요?

사단법인 한국어문회에서 주관하고 한국한자능력검정회가 시행하는 한자 활용 능력 시험이에 요. 공인급수시험(특급~3급Ⅱ)과 교육급수시험(4급~8급)으로 나뉘어요. 초등학생은 교육급수시 험(4급~8급)에 목표를 두고 학습하기를 권해요.

● 어떤 유형의 문제가 나오나요?

문제 유형은 총 13가지로, 급수에 따라 출제되는 비율이나 유형이 달라요. 7급은 한자의 소리 (음)를 묻는 독음 문제와 한자의 뜻과 소리를 묻는 훈음 문제가 주로 출제되고, 반의어와 완성형, 뜻풀이와 필순 문제가 각각 2문제씩 출제돼요. 시험에 출제되는 상위 급수 한자는 하위 급수 한자 를 모두 포함하고, 쓰기 배정 한자는 한두 급수 아래의 읽기 배정 한자이거나 해당 급수 범위 내에 있어요.

구분	8급	7급Ⅱ	7급	6급Ⅱ	6급	5급Ⅱ	5급	4급Ⅱ	4급
읽기 배정 한자	50	100	150	225	300	400	500	750	1000
쓰기 배정 한자	0	0	0	50	150	225	300	400	500
독음	24	22	32	32	33	35	35	35	32
훈음	24	30	30	29	22	23	23	22	22
장단음	0	0	0	0	0	0	0	0	3
반의어	0	2	2	2	3	3	3	3	3
완성형	0	2	2	2	3	4	4	5	5
부수	0	0	0	0	0	0	0	3	3
동의어	0	0	0	0	2	3	3	3	3
동음이의어	0	0	0	0	2	3	3	3	3
뜻풀이	0	2	2	2	2	3	3	3	3
약자	0	0	0	0	0	3	3	3	3
한자 쓰기	0	0	0	10	20	20	20	20	20
필순	2	2	2	3	3	3	0	0	0
한문	0	0	0	0	0	0	0	0	0

※ 출제 기준표는 기본 지침 자료로서, 출제자의 의도에 따라 치이가 있을 수 있습니다.

● 시험 시간 및 문항 수는 어떻게 되나요?

시험 시간은 50분(4급~8급)이고, 급수가 올라갈수록 문항 수가 많아져요. 7급은 총 70문항 중 49문항 이상 맞아야 합격이에요.

구분	8급	7급Ⅱ	7급	6급Ⅱ	6급	5급, 5급Ⅱ, 4급Ⅱ, 4급
출제 문항	50	60	70	80	90	100
합격 문항	35	42	49	56	63	70

※ 이 외 시험 일정과 접수 방법과 관련된 정보는 한국어문회 홈페이지(www.hanja.re.kr)에서 확인할 수 있습니다.

♥7급 배정 한자에는 8급 한자도 포함됩니다. 8급 한자는 본책의 176쪽을 참고하세요.

이 책으로 공부하는 방법

Step 1 — 하루 2자씩, 한자 익히기

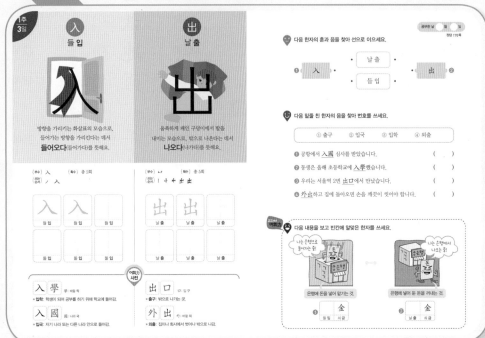

따라 쓰기

하루 2자씩, 그림을 보며 한자를 따라 쓰고 한자 어휘를 익혀요.

확인 문제

간단한 한자 문제와 교과서 어휘력 문제를 풀며 실력을 확인해요.

Step 2 — 문제로 마무리하기

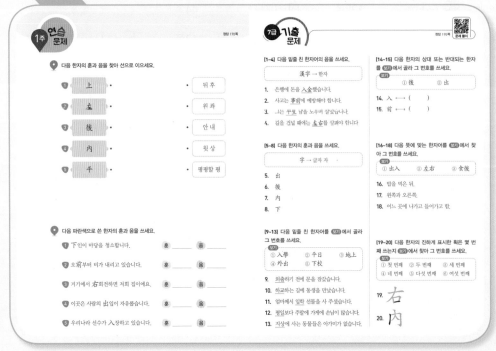

연습 문제

한 주에 배운 한자의 훈과 음을 바르게 알고 있는지 점검해요.

기출문제

기출 유형 문제를 풀며 급수 시험 대비 실력을 쌓아요.

기출문제 풀이 강의

QR 코드를 찍어 기출문제를 완벽하게 분석해요.

Step **3** 교과서 지식 쌓기

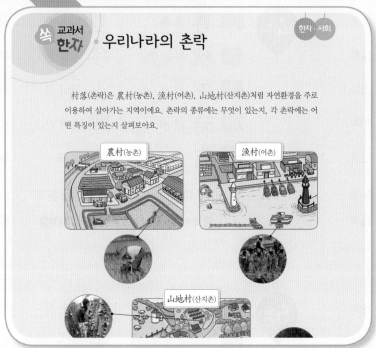

교과서 쏙 지식

한자와 관련된 교과서 속 내용을
읽으며 지식을 쌓아요.

Step **4** 실전 모의고사

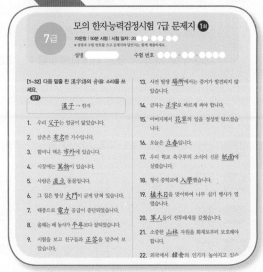

모의 한자능력검정시험 3회

급수 시험 대비 실전 모의고사를 풀며
실제 시험에 대비해요.

Step **5** 한자 카드

한자 카드

한자 카드를 잘라서 들고 다니며 간편하게
한자의 훈과 음, 어휘를 익힐 수 있어요.

차례 차근차근 50일 완성

한자에 대해 알아보아요

한자가 왜 중요할까요?

漢字(한자), 왠지 듣기만 해도 어려워서 피하고 싶은 친구들이 많을 거예요. 하지만, 사실 우리나라 단어의 70~80%가 한자어라고 할 정도로 한자는 우리말을 이해하기 위해서도 정말 중요해요. 예를 들어, 우리가 자주 사용하는 '생일'도 한자어예요. 生(날 생)과 日(날 일)이 합쳐져 '태어난 날'이라는 뜻을 갖게 된 것이지요. 이렇게 한자를 알면 단어의 뜻을 잘 이해할 수 있어서 어휘력과 독해력을 키우고 다양한 과목을 공부하는 데 큰 도움이 된답니다.

한자에는 훈과 음이 있어요.

"하늘 천, 땅 지~"라고 흥얼거리는 노래를 들어본 적이 있지요? 이처럼 한자는 훈과 음으로 되어 있어요. 한자의 뜻을 '훈', 한자를 읽을 때의 소리를 '음'이라고 해요.

	훈(뜻)	음(소리)
天 →	하늘	천
地 →	땅	지

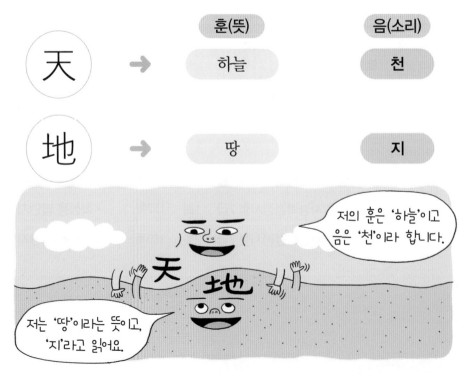

부수란 무엇일까요?

부수는 한자를 정리하기 위한 방법 중 하나예요. 한자 사전에서 모르는 한자를 찾을 때, 부수를 먼저 찾고 부수를 뺀 나머지 한자의 획수를 세면 빠르게 찾을 수 있어요. 또한, 부수를 잘 알아 두면 한자의 뜻을 떠올리는 데에도 도움이 돼요.

● 글자 자체가 부수가 되는 한자

● 부수가 다른 한자의 일부인 한자

부수는 모양을 바꿔서 한자의 왼쪽이나 오른쪽, 위쪽이나 아래쪽에 붙어서 한자를 만들기도 해요.

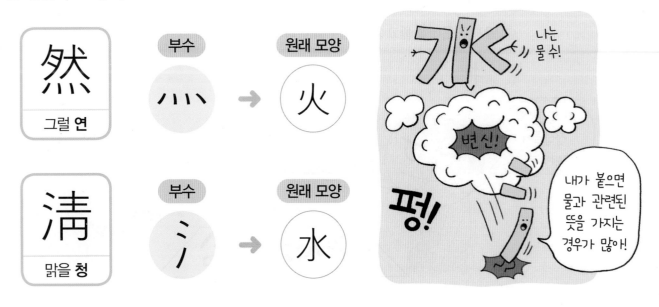

필순을 지켜서 바르게 써요.

필순은 한자를 쓸 때의 순서를 말해요. 필순을 지켜서 한자를 써야 쓰기도 편하고 모양도 예쁘답니다. 다음은 한자를 자연스럽게 쓰기 위한 일반적인 규칙이에요. 이를 모두 외우려고 하기 보다는 가볍게 살펴보고 한자마다 쓰면서 각각 연습하세요.

① 글자의 윗부분부터 쓰기 시작하여 아래로 써 나갑니다.

② 글자의 왼쪽 부분부터 쓰기 시작하여 오른쪽으로 써 나갑니다.

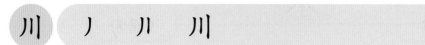

③ 가로획과 세로획이 만날 때에는 가로획을 먼저 씁니다.

④ 좌우 모양이 같을 때는 가운데를 먼저 씁니다.

⑤ 바깥 둘레가 있는 글자는 바깥을 먼저 쓰고 안을 나중에 씁니다.

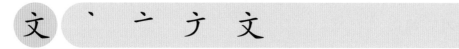

⑥ 삐침(丿)을 먼저 쓰고, 파임(乀)을 나중에 씁니다.

⑦ 글자 가운데를 뚫고 지나가는 획은 마지막에 씁니다.

한자의 뜻을 알면 어휘력을 키울 수 있어요.

이렇게 각각의 한자를 합하면 뜻을 나타내는 단어가 돼요.

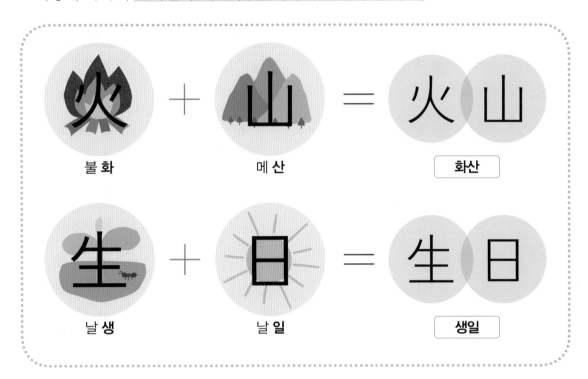

火 불 화 + 山 메 산 = 火山 화산

生 날 생 + 日 날 일 = 生日 생일

어때요? 한자와 한자를 합해서 만든 단어를 보니 생각보다 익숙하지 않나요?
이렇게 한자는 교과서나 우리 생활 곳곳에서 사용되고 있어요.

앞으로 하루 2개씩, 50일 동안 100개의 한자를 익히고 그 한자가 쓰인 단어를
함께 공부하고 나면 한자와 어휘 실력이 쑥쑥 늘어 있을 거예요. 한자검정능력시
험도 완벽하게 준비할 수 있는 건 물론이고요.

7급 50일 완성 공부 계획표

☑ 50일 동안 이 책을 공부하는 데 알맞은 공부 계획표입니다.
☑ 날짜를 적고 매일매일 꾸준하게 공부한 뒤, 잘했는지 확인하세요.

주	날짜		확인	
1주	1日	월 일	☺	☹
	2日	월 일	☺	☹
	3日	월 일	☺	☹
	4日	월 일	☺	☹
	5日	월 일	☺	☹
2주	1日	월 일	☺	☹
	2日	월 일	☺	☹
	3日	월 일	☺	☹
	4日	월 일	☺	☹
	5日	월 일	☺	☹
3주	1日	월 일	☺	☹
	2日	월 일	☺	☹
	3日	월 일	☺	☹
	4日	월 일	☺	☹
	5日	월 일	☺	☹
4주	1日	월 일	☺	☹
	2日	월 일	☺	☹
	3日	월 일	☺	☹
	4日	월 일	☺	☹
	5日	월 일	☺	☹
5주	1日	월 일	☺	☹
	2日	월 일	☺	☹
	3日	월 일	☺	☹
	4日	월 일	☺	☹
	5日	월 일	☺	☹

주	날짜		확인	
6주	1日	월 일	☺	☹
	2日	월 일	☺	☹
	3日	월 일	☺	☹
	4日	월 일	☺	☹
	5日	월 일	☺	☹
7주	1日	월 일	☺	☹
	2日	월 일	☺	☹
	3日	월 일	☺	☹
	4日	월 일	☺	☹
	5日	월 일	☺	☹
8주	1日	월 일	☺	☹
	2日	월 일	☺	☹
	3日	월 일	☺	☹
	4日	월 일	☺	☹
	5日	월 일	☺	☹
9주	1日	월 일	☺	☹
	2日	월 일	☺	☹
	3日	월 인	☺	☹
	4日	월 일	☺	☹
	5日	월 일	☺	☹
10주	1日	월 일	☺	☹
	2日	월 일	☺	☹
	3日	월 일	☺	☹
	4日	월 일	☺	☹
	5日	월 일	☺	☹

1일	上 윗 상	下 아래 하	
2일	左 왼 좌	右 오른 우	
3일	入 들 입	出 날 출	
4일	前 앞 전	後 뒤 후	
5일	內 안 내	平 평평할 평	

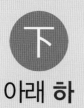

上
윗 상

선 위에 점을 찍어 어떤 위치보다

높은 쪽을 나타낸 글자로, **위**를 뜻해요.

下
아래 하

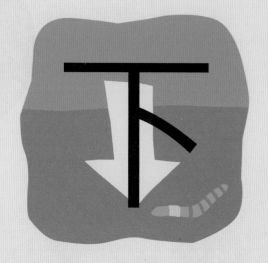

선 아래에 점을 찍어 어떤 위치보다

낮은 쪽을 나타낸 글자로, **아래**를 뜻해요.

(부수) 一　　　(획수) 총 3획
(쓰는 순서) ㅣ ㅏ 上

上	上	
윗 **상**	윗 **상**	윗 **상**
윗 **상**	윗 **상**	잇 **상**

(부수) 一　　　(획수) 총 3획
(쓰는 순서) 一 丁 下

下	下	
아래 **하**	아래 **하**	아래 **하**
아래 **하**	아래 **하**	아래 **하**

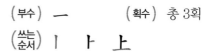

어휘力
사전

地 上　地: 땅 지
● **지상**: 땅의 위.

海 上　海: 바다 해
● **해상**: 바다 위.

地 下　地: 땅 지
● **지하**: 땅의 속.

下 校　校: 학교 교
● **하교**: 학교에서 수업을 마치고 집으로 돌아옴.

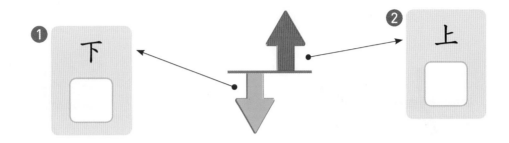

😊 다음 한자의 음을 각각 쓰세요.

❶ 下 □

❷ 上 □

😊 다음 밑줄 친 단어의 한자를 찾아 선으로 이으세요.

❶ 지상 10층 건물을 짓고 있습니다. •   • 地上

❷ 아버지께서 지하 주차장에 가셨습니다. •   • 下校

❸ 오전부터 해상에 큰 파도가 몰아쳤습니다. •   • 地下

❹ 하교 후에 놀이터에서 친구를 만났습니다. •   • 海上

 교과서 어휘力

🙂 ● 안에 들어갈 한자를 빈칸에 쓰고, 교통수단이 어디로 다니는지 알아보세요.

海● 을 지나는 배   地● 을 달리는 버스   地● 를 달리는 지하철

❶ □   ❷ □

왼 **좌**

오른 **우**

왼손에 물건을 만들 때 쓰는 도구(工)를 들고 있는 모습으로, **왼쪽**을 뜻해요.

오른손으로 밥을 먹는 모습으로, 밥 먹는 손은 오른손이라는 데서 **오른쪽**을 뜻해요.

(부수) 工 　　　(획수) 총 5획
(쓰는 순서) 一 ナ 广 左 左

左	左	
왼 **좌**	왼 **좌**	왼 **좌**
왼 **좌**	왼 **좌**	왼 **좌**

(부수) 口 　　　(획수) 총 5획
(쓰는 순서) ノ ナ 广 右 右

右	右	
오른 **우**	오른 **우**	오른 **우**
오른 **우**	오른 **우**	오른 **우**

어휘力 사전

左 右　　右: 오른 우
● **좌우**: 왼쪽과 오른쪽.

左 向 左　　向: 향할 향
● **좌향좌**: 바로 선 자세에서 왼쪽으로 90도 돌아서라는 것.

右 側　　側: 곁 측
● **우측**: 오른쪽.

右 回 轉　　回: 돌아올 회
　　　　　　轉: 구를 전
● **우회전**: 오른쪽 방향으로 도는 것.

😊 다음 한자의 훈과 음을 쓰세요.

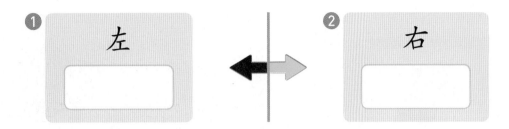

❶ 左

❷ 右

😊 다음 밑줄 친 단어의 한자를 찾아 번호를 쓰세요.

① 右側　　② 左右　　③ 左向左　　④ 右回轉

❶ 파도가 세서 배가 <u>좌우</u>로 흔들립니다. ( )

❷ 이 길을 따라가면 <u>우측</u>에 도서관이 있습니다. ( )

❸ 학교에서 <u>우회전</u>하면 바로 우체국이 나옵니다. ( )

❹ '<u>좌향좌</u>'라는 말에 맞추어 모두 왼쪽으로 돌았습니다. ( )

교과서
어휘力
😈 다음 빈칸에 알맞은 한자를 써서 사자성어를 완성하세요.

이를 어쩌지?

우왕좌왕하지 말고 이제 딱 결정을 내리라고!

이리저리 왔다 갔다 하면서 결정을 내리지 못하고 망설임.

↓

	往		往
오른 우	갈 왕	왼 좌	갈 왕

入
들 입

방향을 가리키는 화살표의 모습으로,
들어가는 방향을 가리킨다는 데서
들어오다(들어가다)를 뜻해요.

出
날 출

움푹하게 패인 구덩이에서 발을
내미는 모습으로, 밖으로 나온다는 데서
나오다(나가다)를 뜻해요.

(부수) 入　　　(획수) 총 2획
(쓰는 순서) ノ 入

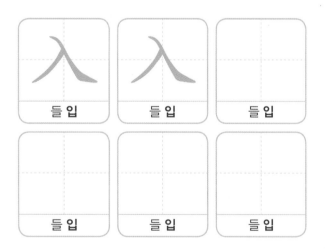

入	入	
들입	들입	들입
들입	들입	들입

(부수) 凵　　　(획수) 총 5획
(쓰는 순서) ㅣ ㅛ ㅛ 出 出

出	出	
날출	날출	날출
날출	날출	날출

어휘力 사전

入 學　　學: 배울 학
● **입학**: 학생이 되어 공부를 하기 위해 학교에 들어감.

入 國　　國: 나라 국
● **입국**: 자기 나라 또는 다른 나라 안으로 들어감.

出 口　　口: 입구
● **출구**: 밖으로 나가는 곳.

外 出　　外: 바깥 외
● **외출**: 집이나 회사에서 벗어나 밖으로 나감.

😊 다음 한자의 훈과 음을 찾아 선으로 이으세요.

❶ 入 • • 날 출 • 出 ❷

• 들 입 •

😄 다음 밑줄 친 한자의 음을 찾아 번호를 쓰세요.

① 출구　　② 입국　　③ 입학　　④ 외출

❶ 공항에서 <u>入國</u> 심사를 받았습니다.　　　　　　　　　（　　　）

❷ 동생은 올해 초등학교에 <u>入學</u>했습니다.　　　　　　　（　　　）

❸ 우리는 서울역 2번 <u>出口</u>에서 만났습니다.　　　　　　（　　　）

❹ <u>外出</u>하고 집에 돌아오면 손을 깨끗이 씻어야 합니다.　（　　　）

교과서 어휘力 😈 다음 내용을 보고 빈칸에 알맞은 한자를 쓰세요.

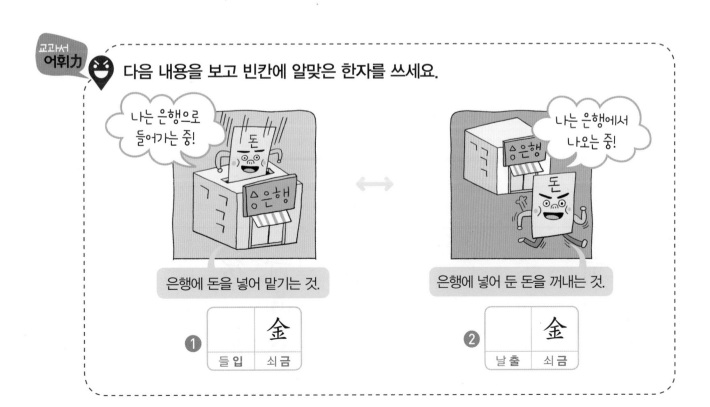

나는 은행으로 들어가는 중!

나는 은행에서 나오는 중!

은행에 돈을 넣어 맡기는 것.

❶ ☐ 金
들 입 | 쇠 금

은행에 넣어 둔 돈을 꺼내는 것.

❷ ☐ 金
날 출 | 쇠 금

前
앞 전

배를 타고 가는 사람의 모습으로,
배가 앞으로 간다는 데서 **앞**을 뜻해요.

(부수) 刂(刀) (획수) 총 9획

(쓰는 순서) `丶 丷 八 广 芦 芦 肖 前 前`

前	前	
앞 전	앞 전	앞 전
앞 전	앞 전	앞 전

後
뒤 후

걸음이 늦은 사람이 뒤처져 오는 모습으로,
뒤에서 온다는 데서 **뒤**를 뜻해요.

(부수) 彳 (획수) 총 9획

(쓰는 순서) `丿 ㇇ 彳 彳 衤 徉 谷 後 後`

後	後	
뒤 후	뒤 후	뒤 후
뒤 후	뒤 후	뒤 후

어휘力 사전

直 前 直: 곧을 직

● **직전**: 바로 전.

前 年 年: 해 년

● **전년**: 지난해.

前 後 前: 앞 전

● **전후**: 앞과 뒤. 먼저와 나중.

食 後 食: 밥/먹을 식

● **식후**: 밥을 먹은 뒤.

😊 다음 한자의 훈과 음을 찾아 선으로 이으세요.

❶ 前 •

• 뒤 후

❷ 後 •

• 앞 전

😀 다음 밑줄 친 한자의 음을 찾아 번호를 쓰세요.

① 전년　　② 전후　　③ 직전　　④ 식후

❶ <u>食後</u>에는 반드시 이를 닦아야 합니다.　　(　　)

❷ 올해는 <u>前年</u>에 비해 기온이 높은 편입니다.　　(　　)

❸ 잠들기 <u>直前</u>에는 음식을 먹지 않는 것이 좋습니다.　　(　　)

❹ 그는 일의 <u>前後</u> 사정을 듣기도 전에 화부터 냈습니다.　　(　　)

교과서 어휘力

😈 다음 내용을 보고 빈칸에 알맞은 한자를 쓰세요.

아침에 일어나서 세수를 하고 학교에 갔어요.

점심을 먹고 축구를 했어요.

❶ 午 ☐ 에 한 일
　낮 오 / 앞 전

❷ 午 ☐ 에 한 일
　낮 오 / 뒤 후

内
안 내

집에 있는 입구의 모습으로, 입구를 통해
집 안으로 들어간다는 데서 **안**을 뜻해요.

平
평평할 평

무게를 재는 저울 모양으로, 양쪽의
균형을 맞춘다는 데서 **평평하다**를 뜻해요.

(부수) 入　　　(획수) 총 4획
(쓰는 순서) 丨 门 冂 内

内	内	
안 내	안 내	안 내
안 내	안 내	안 내

(부수) 干　　　(획수) 총 5획
(쓰는 순서) 一 一 厂 瓦 平

平	平	
평평할 평	평평할 평	평평할 평
평평할 평	평평힐 평	평평할 평

어휘力 사전

内 外　　外: 바깥 외

● **내외**: 안과 밖. 약간 적거나 넘음.

内 面　　面: 낯 면

● **내면**: 물건의 안쪽. 사람의 속마음.

平 日　　日: 날 일

● **평일**: 토요일, 일요일, 공휴일이 아닌 보통날.

平 生　　生: 날 생

● **평생**: 사람이 삶을 사는 내내. 살아 있는 동안.

😊 다음 한자와 뜻이 반대되는 한자를 찾아 ○표 하세요.

外 ↔ ❶ 内 ❷ 平

바깥 외 ( ) ( )

😊 다음 밑줄 친 단어의 한자를 찾아 번호를 쓰세요.

① 内外	② 平日	③ 内面	④ 平生

❶ 그는 평생을 절약하며 살았습니다. ( )

❷ 원고지 200자 내외로 글을 써야 합니다. ( )

❸ 이곳은 평일 오전 9시에서 5시에만 열립니다. ( )

❹ 겉모습보다는 내면이 아름다운 사람이 되어야 합니다. ( )

교과서
어휘力 😈 다음 내용을 보고 ●● 안에 들어갈 알맞은 한자를 빈칸에 쓰세요.

📍 다음 한자의 훈과 음을 찾아 선으로 이으세요.

①	上	•		•	뒤 후
②	左	•		•	왼 좌
③	後	•		•	안 내
④	內	•		•	윗 상
⑤	平	•		•	평평할 평

📍 다음 파란색으로 쓴 한자의 훈과 음을 쓰세요.

① 下인이 마당을 청소합니다.　　　　훈 _____　음 _____

② 오前부터 비가 내리고 있습니다.　　훈 _____　음 _____

③ 거기에서 右회전하면 저희 집이에요.　훈 _____　음 _____

④ 이곳은 사람의 出입이 자유롭습니다.　훈 _____　음 _____

⑤ 우리나라 선수가 入장하고 있습니다.　훈 _____　음 _____

[1~4] 다음 밑줄 친 한자어의 음을 쓰세요.

漢字 → 한자

1. 은행에 돈을 <u>入金</u>했습니다.

2. 사고는 <u>事前</u>에 예방해야 합니다.

3. 그는 <u>平生</u> 남을 도우며 살았습니다.

4. 길을 건널 때에는 <u>左右</u>를 살펴야 합니다.

[5~8] 다음 한자의 훈과 음을 쓰세요.

字 → 글자 자

5. 出

6. 後

7. 內

8. 下

[9~13] 다음 밑줄 친 한자어를 보기 에서 골라 그 번호를 쓰세요.

보기
① 入學　　② 平日　　③ 地上
④ 外出　　⑤ 下校

9. 외출하기 전에 문을 잠갔습니다.

10. 하교하는 길에 동생을 만났습니다.

11. 엄마께서 입학 선물을 사 주셨습니다.

12. 평일보다 주말에 가게에 손님이 많습니다.

13. 지상에 사는 동물들은 아가미가 없습니다.

[14~15] 다음 한자의 상대 또는 반대되는 한자를 보기 에서 골라 그 번호를 쓰세요.

보기
① 後　　　② 出

14. 入 ⟷ (　　　)

15. 前 ⟷ (　　　)

[16~18] 다음 뜻에 맞는 한자어를 보기 에서 찾아 그 번호를 쓰세요.

보기
① 出入　　② 左右　　③ 食後

16. 밥을 먹은 뒤.

17. 왼쪽과 오른쪽.

18. 어느 곳에 나가고 들어가고 함.

[19~20] 다음 한자의 진하게 표시한 획은 몇 번째 쓰는지 보기 에서 찾아 그 번호를 쓰세요.

보기
① 첫 번째　② 두 번째　③ 세 번째
④ 네 번째　⑤ 다섯 번째　⑥ 여섯 번째

19. 右

20. 內

위치를 나타내는 말

한자로 위는 上(상), 아래는 下(하), 왼쪽은 左(좌), 오른쪽은 右(우)예요. 위쪽과 아래쪽, 왼쪽과 오른쪽을 모두 아울러 上下左右(상하좌우)라고 하는데, '上(상) ↔ 下(하)', '左(좌) ↔ 右(우)'는 각각 뜻이 반대되는 말이랍니다.

위치를 나타내는 말을 이용한 단어들을 그림으로 살펴볼까요?

이제 길을 걸을 때나 차를 타고 도로 위를 지날 때 우리가 어느 위치로 움직이고 있는지, 배운 한자를 떠올려 보면 쉽게 알 수 있겠지요?

2주

1일　手 손 수　｜　足 발 족

2일　口 입 구　｜　面 낯 면

3일　心 마음 심　｜　命 목숨 명

4일　力 힘 력　｜　育 기를 육

5일　老 늙을 로　｜　氣 기운 기

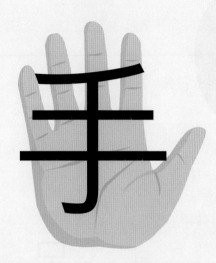

手

손 수

다섯 손가락을 모두 편 모양으로,
손을 뜻해요.

足

발 족

다리의 무릎 아래를 나타낸 글자로,
발을 뜻해요.

(부수) 手　　　(획수) 총 4획
(쓰는 순서) 一 二 三 手

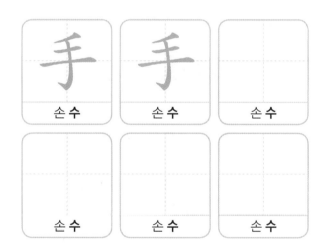

| 손 수 | 손 수 | 손 수 |
| 손 수 | 손 수 | 손 수 |

(부수) 足　　　(획수) 총 7획
(쓰는 순서) 丶 丨 口 口 甲 甲 足 足

| 발 족 | 발 족 | 발 족 |
| 발 족 | 발 족 | 발 족 |

어휘力 사전

手 中　　中: 가운데 중
● **수중**: 손 안. 자신이 가지고 있는 것.

下 手　　下: 아래 하
● **하수**: 바둑이나 장기 등에서 솜씨가 낮은 사람.

手 足　　手: 손 수
● **수족**: 손과 발.

不 足　　不: 아닐 부
● **부족**: 필요한 양이나 기준보다 모자라는 것.

다음 사진과 관련된 한자의 훈과 음을 쓰세요.

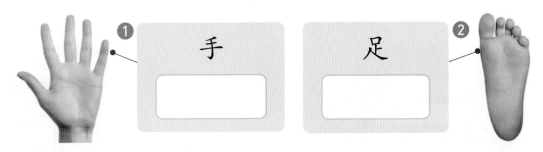

手

足

 다음 밑줄 친 한자의 음을 찾아 선으로 이으세요.

❶ <u>手中</u>에 돈이 하나도 없습니다. • • 수족

❷ 밥을 <u>不足</u>하게 먹어서 배가 고픕니다. • • 수중

❸ 공기놀이에서 나는 언니보다 <u>下手</u>입니다. • • 부족

❹ 그는 사고로 <u>手足</u>을 움직일 수 없게 됐습니다. • • 하수

교과서
어휘力

다음 빈칸에 공통으로 들어갈 알맞은 한자를 쓰세요.

❶ 不 해요.

아닐 부 | 발 족

❷ 豐 해요.

풍년 풍 | 발 족

입구

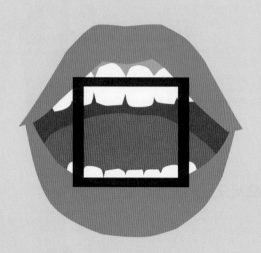

입을 벌린 모습을 나타낸 글자로,
입을 뜻해요.

낯 면

사람의 얼굴과 눈 모양을 나타낸 글자로,
낯(얼굴)을 뜻해요.

(부수) 口　　　(획수) 총 3획

(쓰는 순서) ㅣ 冂 口

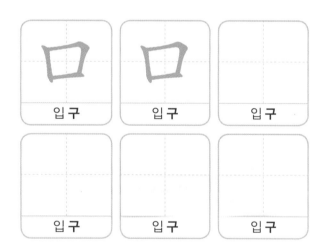

입구	입구	입구
입구	입구	입구

(부수) 面　　　(획수) 총 9획

(쓰는 순서) 一 丆 丆 币 而 而 而 面 面

낯면	낯면	낯면
낯면	낯면	낯면

어휘力 사전

人: 사람 인

● **인구**: 한 나라나 일정한 지역에 사는 사람의 수.

入　口　入: 들 입

● **입구**: 들어가는 곳.

正: 바를 정

● **정면**: 똑바로 마주 보이는 쪽.

表: 겉 표

● **표면**: 사물의 가장 바깥쪽. 사물의 가장 윗부분.

😊 다음 한자의 훈을 찾아 선으로 이으세요.

❶ 口 •

❷ 面 •

• 낮

• 입

😊 다음 밑줄 친 한자의 음을 찾아 번호를 쓰세요.

| ① 정면 | ② 인구 | ③ 입구 | ④ 표면 |

❶ 수박은 **表面**이 매끈합니다. ( )

❷ **正面**에 보이는 건물이 학교입니다. ( )

❸ 농촌의 **人口**가 점점 줄어들고 있습니다. ( )

❹ 친구들과 공원 **入口**에서 만나기로 했습니다. ( )

교과서 **어휘力** 😈 다음 빈칸에 알맞은 한자를 써서 낱말을 완성하세요.

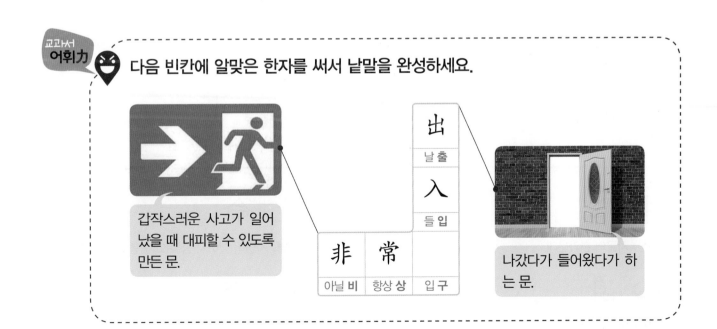

갑작스러운 사고가 일어났을 때 대피할 수 있도록 만든 문.

出
날 **출**
入
들 **입**

非	常	
아닐 **비**	항상 **상**	입구

나갔다가 들어왔다가 하는 문.

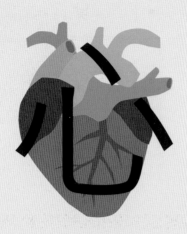

心
마음 심

사람의 심장 모양으로,
마음을 뜻해요.

命
목숨 명

명령을 내리는 사람의 모습으로, 목숨을 걸고
그 명령을 따른다는 데서 **목숨**을 뜻해요.

(부수) 心　　　(획수) 총 4획

(쓰는 순서) ㇐ 心 心 心

마음 심	마음 심	마음 심
마음 심	마음 심	마음 심

(부수) 口　　　(획수) 총 8획

(쓰는 순서) ㇒ 人 ㇆ 今 合 合 命 命

목숨 명	목숨 명	목숨 명
목숨 명	목숨 명	목숨 명

**어휘力
사전**

中 心　中: 가운데 중

● **중심**: 사물의 한가운데.

心 身　身: 몸 신

● **심신**: 마음과 몸.

生 命　生: 날 생

● **생명**: 사람이 살아서 숨 쉬고 활동할 수 있게 하는 힘.

人 命　人: 사람 인

● **인명**: 사람의 목숨.

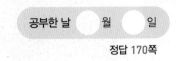
😊 다음 한자의 훈과 음을 찾아 선으로 이으세요.

① 命 ・ ・ 마음 심 ・ ・ 心 ②

・ 목숨 명 ・

😄 다음 밑줄 친 단어의 한자를 찾아 번호를 쓰세요.

① 心身　　② 人命　　③ 中心　　④ 生命

❶ 달은 지구를 중심으로 돕니다. 　　　　(　)

❷ 운동을 하면 심신이 건강해집니다. 　　(　)

❸ 그 의사는 환자의 생명을 구했습니다. 　(　)

❹ 교통사고로 인명 피해가 발생했습니다. 　(　)

교과서 어휘力 😈 빈칸에 알맞은 한자를 써서 다음 이야기 속 인물들의 마음을 알아보세요.

무엇을 지나치게 가지고 싶어 하거나
자기 것으로 하고 싶어 하는 마음.

확실히 알 수 없어서
믿지 못하는 마음.

❶ 🐯 : [慾] [　]
욕심 욕　마음 심

❷ 😠😰 : [疑] [　]
의심할 의　마음 심

力
힘 력

농기구의 모양으로, 농기구를 사용해
힘을 쓴다는 데서 **힘**을 뜻해요.

育
기를 육

엄마의 몸에서 나온 아이의 모습으로,
기르다를 뜻해요.

(부수) 力 　　　 (획수) 총 2획
(쓰는 순서) フ 力

力	力	
힘 **력**	힘 **력**	힘 **력**

힘 **력**	힘 **력(역)**	힘 **력**

*力은 단어의 첫머리에 오면 '역'으로 읽어요.

(부수) 月(肉) 　　　 (획수) 총 8획
(쓰는 순서) ` 亠 云 玄 产 育 育 育

育	育	
기를 **육**	기를 **육**	기를 **육**

기를 **육**	기를 **육**	기를 **육**

어휘力 사전

火 力　　火: 불 화
- **화력**: 불이 탈 때에 내는 열의 힘.

國 力　　國: 나라 국
- **국력**: 한 나라가 가진 힘.

教 育　　教: 가르칠 교
- **교육**: 지식이나 기술을 가르치며 품성을 길러 줌.

育 兒　　兒: 아이 아
- **육아**: 어린아이를 기름.

😊 다음 한자의 훈과 음을 쓰세요.

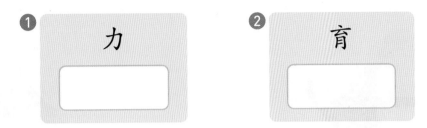

❶ 力

❷ 育

😄 다음 밑줄 친 한자의 음을 찾아 번호를 쓰세요.

① 화력   ② 육아   ③ 국력   ④ 교육

❶ 요즘은 부모가 <u>育兒</u>를 함께합니다.   (   )

❷ 학생들은 학교에서 <u>敎育</u>을 받습니다.   (   )

❸ 우리의 <u>國力</u>이 세계로 뻗어 나가고 있습니다.   (   )

❹ 맛있는 밥을 지으려면 <u>火力</u> 조절을 잘해야 합니다.   (   )

교과서 어휘力

😠 다음 내용에 알맞은 한자를 빈칸에 쓰세요.

老
늘을 로

허리가 굽은 사람이 서 있는 모습으로,
늘다를 뜻해요.

氣
기운 기

밥을 지을 때 나는 수증기의 모습으로, 쌀[米]을
먹으면 기운이 생긴다는 데서 **기운**을 뜻해요.

（부수）老　　　（획수）총 6획
（쓰는순서）一 ＋ 土 耂 耂 老 老

老	老	
늘을 **로**	늘을 **로**	늘을 **로**
늘을 **로**	늘을 **로**	늘을 **로**

*老는 단어의 첫머리에 오면 '노'로 읽어요.

（부수）气　　　（획수）총 10획
（쓰는순서）丿 丶 乞 气 气 气 气 氣 氣 氣

氣	氣	
기운 **기**	기운 **기**	기운 **기**
기운 **기**	기운 **기**	기운 **기**

어휘力
사전

年 老 　年: 해 년
● **연로**: 나이가 많음.

老 人 　人: 사람 인
● **노인**: 나이가 들어 늘은 사람.

人 氣 　人: 사람 인
● **인기**: 무엇에 대한 사람들의 관심이나 좋아하는 기운.

生 氣 　生: 날 생
● **생기**: 활발하고 힘찬 기운.

😊 다음 한자와 뜻이 반대되는 한자에 ◯표 하세요.

少
적을(젊을) 소
↔
❶ 老
( )
❷ 氣
( )

😄 다음 밑줄 친 단어의 한자를 찾아 번호를 쓰세요.

① 年老   ② 生氣   ③ 老人   ④ 人氣

❶ <u>노인</u>을 공경해야 합니다.   ( )

❷ 그곳은 <u>연로</u>한 몸으로 가기 힘듭니다.   ( )

❸ 봄이 찾아온 들판에는 <u>생기</u>가 넘칩니다.   ( )

❹ 진영이는 이야기를 재미있게 해서 <u>인기</u>가 많습니다.   ( )

교과서 어휘力 😈 ◯ 안에 공통으로 들어갈 한자를 빈칸에 쓰세요.

나는 물이 얼어서 고체로 변한 얼음이야!

나는 물이야!

나는 물이 증발해서 ◯체가 된 수증◯란다.

기운 기

2주 · 37

다음 한자의 훈과 음을 찾아 선으로 이으세요.

1 足 ·   · 낯 면

2 面 ·   · 힘 력

3 命 ·   · 발 족

4 力 ·   · 목숨 명

5 老 ·   · 늙을 로

다음 파란색으로 쓴 한자의 훈과 음을 쓰세요.

1 여름에는 氣온이 높습니다.   훈 _____   음 _____

2 서진이는 진心을 전했습니다.   훈 _____   음 _____

3 누구나 실手를 할 수 있습니다.   훈 _____   음 _____

4 저는 체育시간이 가장 좋습니다.   훈 _____   음 _____

5 우리 마을에는 여러 가口가 삽니다.   훈 _____   음 _____

[1~4] 다음 밑줄 친 한자어의 음을 쓰세요.

> 漢字 → 한자

1. 마른 장작은 <u>火力</u>이 셉니다.

2. 도로 <u>表面</u>이 울퉁불퉁합니다.

3. 작은 생물의 <u>生命</u>도 소중합니다.

4. <u>失手</u>를 반복하지 말아야 합니다.

[5~8] 다음 한자의 훈과 음을 쓰세요.

> 字 → 글자 자

5. 手
6. 面
7. 育
8. 老

[9~13] 다음 밑줄 친 한자어를 보기 에서 골라 그 번호를 쓰세요.

> 보기
> ① 正面　　② 不足　　③ 中心
> ④ 入口　　⑤ 生氣

9. 동굴 <u>입구</u>로 들어갑니다.

10. 얼굴에 <u>생기</u>가 돌았습니다.

11. 농촌에는 일손이 <u>부족</u>합니다.

12. 학교 <u>정면</u>에는 산이 있습니다.

13. 화살로 과녁의 <u>중심</u>을 꿰뚫었습니다.

[14~15] 다음 한자의 상대 또는 반대되는 한자를 보기 에서 골라 그 번호를 쓰세요.

> 보기
> ① 心　　　② 足

14. 手 ⟷ (　　　)

15. 身몸신 ⟷ (　　　)

[16~18] 다음 뜻에 맞는 한자어를 보기 에서 찾아 그 번호를 쓰세요.

> 보기
> ① 育兒　　② 不足　　③ 國力

16. 어린아이를 기름.

17. 한 나라가 가진 힘.

18. 필요한 양이나 기준보다 모자라는 것.

[19~20] 다음 한자의 진하게 표시한 획은 몇 번째 쓰는지 보기 에서 찾아 그 번호를 쓰세요.

> 보기
> ① 첫 번째　　② 두 번째　　③ 세 번째
> ④ 네 번째　　⑤ 다섯 번째　　⑥ 여섯 번째
> ⑦ 일곱 번째　　⑧ 여덟 번째

19. 足

20. 育

쏙 교과서 한자 · 우리 몸의 각 부분

우리 몸의 각 부분에는 이름이 있는데, 이 이름은 한자로도 나타낼 수 있어요.
입은 口(구), 얼굴은 面(면), 손은 手(수), 발은 足(족)이라고 한답니다. 그림을
보며 좀 더 살펴볼까요?

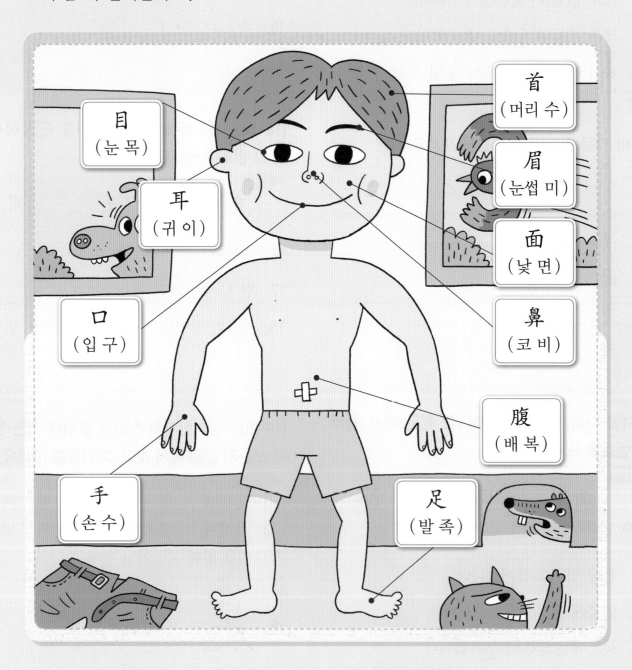

우리 몸을 이렇게 한자로 나타낼 수 있다니 신기하지요?
자기 몸을 살펴보면서 몸의 각 부분을 나타내는 한자를 다시 한번 공부해 보아요.

3주

1일	 天 하늘 천	 地 땅 지
2일	 自 스스로 자	 然 그럴 연
3일	 川 내 천	 江 강 강
4일	 海 바다 해	 林 수풀 림
5일	 草 풀 초	 花 꽃 화

天
하늘 천

地
땅 지

팔을 벌린 사람 위에 하늘이 있는 모습으로,
하늘을 뜻해요.

흙과 물이 있는 모습으로,
땅을 뜻해요.

(부수) 大　　(획수) 총 4획
(쓰는 순서) 一 二 チ 天

(부수) 土　　(획수) 총 6획
(쓰는 순서) 一 十 土 圵 地 地

天	天	
하늘 **천**	하늘 **천**	하늘 **천**
하늘 **천**	하늘 **천**	하늘 **천**

地	地	
땅 **지**	땅 **지**	땅 **지**
땅 **지**	땅 **지**	땅 **지**

어휘力
사전

天 下　下: 아래 하
● **천하**: 하늘 아래의 온 세상.

天 然　然: 그럴 연
● **천연**: 사람의 힘을 가하지 않은 자연 그대로의 것.

平 地　平: 평평할 평
● **평지**: 바닥이 평평한 땅.

土 地　土: 흙 토
● **토지**: 사람의 생활과 활동에 이용하는 땅.

다음 두 한자의 뜻이 같으면 '=', 뜻이 반대이면 '↔'를 빈칸에 쓰세요.

天 ◻ 地

😄 다음 밑줄 친 단어의 한자를 찾아 번호를 쓰세요.

| ① 平地 | ② 土地 | ③ 天下 | ④ 天然 |

❶ 학교 가는 길은 평지라서 힘들지 않습니다. ( )

❷ 이 토지는 영양분이 많아서 식물이 잘 자랍니다. ( )

❸ 자연을 통해 얻은 천연 재료로 음식을 만들었습니다. ( )

❹ 진우가 좋은 친구라는 것은 천하가 다 아는 사실입니다. ( )

 다음 내용을 보고 빈칸에 공통으로 들어갈 알맞은 한자를 쓰세요.

오랜 세월이 흐르는 동안 여러 종류의 흙이 쌓여 층을 이루면서 돌처럼 굳어진 것이에요.

땅이 지구 내부에서 작용하는 힘을 오랫동안 받아 끊어지면서 흔들리는 것이에요.

❶ ◻ 層
땅 지   층 층

❷ ◻ 震
땅 지   우레 진

스스로 자

사람의 코 모양으로, 코를 가리켜 자신을
나타낸다는 데서 **스스로**를 뜻해요.

그럴 연

고기를 불에 굽는 모습으로, 고기는 당연히
익혀 먹어야 한다는 데서 **그러하다**를 뜻해요.

（부수） 自　　　（획수） 총 6획
（쓰는 순서） ′ ′ ′ 自 自 自 自

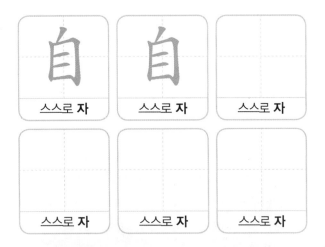

自	自	
스스로 **자**	스스로 **자**	스스로 **자**
스스로 **자**	스스로 **자**	스스로 **자**

（부수） 灬(火)　　　（획수） 총 12획
（쓰는 순서） ′ ク タ タ タ 外 然 然 然 然 然 然

然	然	
그럴 **연**	그럴 **연**	그럴 **연**
그럴 **연**	그럴 **연**	그럴 **연**

어휘力 사전

自 身　　身: 몸 신
● **자신**: 바로 그 사람. 자기.

自 動　　動: 움직일 동
● **자동**: 기계가 스스로 움직임.

自 然　　自: 스스로 자
● **자연**: 산, 강, 바다처럼 저절로 이루어진 것.

當 然　　當: 마땅 당
● **당연**: 마땅히 그러함.

😊 다음 한자의 훈과 음을 쓰세요.

❶
自

❷
然

😊 다음 밑줄 친 한자의 음을 찾아 번호를 쓰세요.

① 자신   ② 자동   ③ 당연   ④ 자연

❶ <u>自身</u>이 맡은 일에 최선을 다해야 합니다.   (   )

❷ 우리는 <u>自然</u>을 깨끗하게 보호해야 합니다.   (   )

❸ 이 문은 사람이 다가가면 <u>自動</u>으로 열립니다.   (   )

❹ 잘못을 한 사람은 벌을 받는 것이 <u>當然</u>한 일입니다.   (   )

😈 다음 빈칸에 들어갈 알맞은 한자를 써서 가로세로 퍼즐을 완성하세요.

〈가로 퍼즐〉
❶ 무엇에 얽매이지 않고 자기 마음대로 할 수 있는 상태.
❷ 일의 앞뒤 사정을 놓고 볼 때 마땅히 그러함.

〈세로 퍼즐〉
❶ 산, 강, 바다처럼 저절로 이루어진 것.

川
내 천

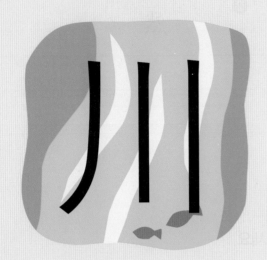

물이 구불구불하게 흐르는 모습으로,
시내를 뜻해요.

江
강 강

시내보다 넓고 길게 흐르는 큰 물줄기의
모습으로, **강**을 뜻해요.

(부수) 川　　　(획수) 총 3획
(쓰는 순서) ㇓ 丿 川 川

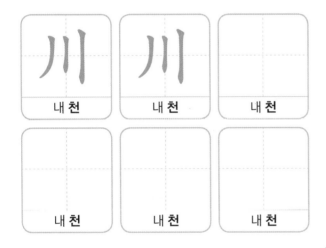

川	川	
내 천	내 천	내 천
내 천	내 천	내 천

(부수) 氵(水)　　　(획수) 총 6획
(쓰는 순서) ㇔ ㇔ 氵 氵 江 江

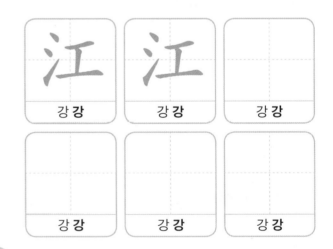

江	江	
강 강	강 강	강 강
강 강	강 강	강 강

어휘力 사전

山 川　山: 메 산
● **산천**: 산과 시내를 아울러 이르는 말로, '자연'을 뜻함.

河 川　河: 물 하
● **하천**: 강과 시내.

江 山　山: 메 산
● **강산**: 강과 산. 또는 자연.

江 村　村: 마을 촌
● **강촌**: 강가에 있는 마을.

다음 한자의 훈과 음을 찾아 선으로 이으세요.

❶ 江 •

❷ 川 •

• 내 천

• 강 강

 다음 밑줄 친 단어의 한자를 찾아 번호를 쓰세요.

① 山川　　② 江村　　③ 江山　　④ 河川

❶ 강촌은 여름에도 시원합니다.　　　　　　　　　（　　　）

❷ 진달래가 온 산천에 활짝 피었습니다.　　　　　（　　　）

❸ 오랜 가뭄으로 하천이 말라 버렸습니다.　　　　（　　　）

❹ 우리나라에는 아름다운 강산이 많습니다.　　　（　　　）

교과서 어휘力 다음 밑줄 친 지역의 이름을 완성할 수 있도록 빈칸에 알맞은 한자를 쓰세요.

나는 인천의 강화도에서 고인돌을 보고 왔어.

❶ 仁 □
어질 인　내 천

나는 대천 해수욕장에서 물놀이를 했어.

❷ 大 □
큰 대　내 천

海
바다 해

넓은 바다의 모습으로,
바다를 뜻해요.

林
수풀 림

나무 두 그루가 합쳐진 모습으로,
나무가 많다는 데서 **수풀**이나 **숲**을 뜻해요.

(부수) 氵(水)　　(획수) 총 10획

(쓰는 순서) ` ⼁ ⼁ ⼁ ⼁ ⼁ 海 海 海 海

海	海	
바다 해	바다 해	바다 해
바다 해	바다 해	바다 해

(부수) 木　　(획수) 총 8획

(쓰는 순서) 一 十 才 木 朮 杜 杜 林

林	林	
수풀 림	수풀 림	수풀 림
수풀 림	수풀 림	수풀 림

*林은 단어의 첫머리에 오면 '임'으로 읽어요.

어휘力 사전

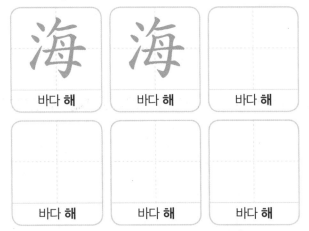

海 外　外: 바깥 외

● **해외**: 바다 건너 다른 나라. 외국.

海 女　女: 계집 녀

● **해녀**: 바닷속의 해삼, 전복 등을 따는 일을 하는 여자.

山 林　山: 메 산

● **산림**: 산과 숲. 산에 있는 숲.

林 野　野: 들 야

● **임야**: 숲과 들을 함께 가리키는 말.

😊 다음 한자와 뜻이 반대되는 한자를 찾아 ◯표 하세요.

山
메 산

↔

❶ 林
( )

❷ 海
( )

😊 다음 밑줄 친 한자의 음을 찾아 번호를 쓰세요.

① 해녀   ② 임야   ③ 산림   ④ 해외

❶ 제주에 가면 海女를 볼 수 있습니다.   ( )

❷ 나무를 마구 베어 山林이 파괴되고 있습니다.   ( )

❸ 이번 방학에는 가족과 함께 海外 여행을 갑니다.   ( )

❹ 버려진 林野를 개발하여 새로운 땅으로 만들었습니다.   ( )

교과서 어휘력 😈 다음 빈칸에 공통으로 들어갈 한자를 써서 우리나라 바다의 이름을 완성하세요.

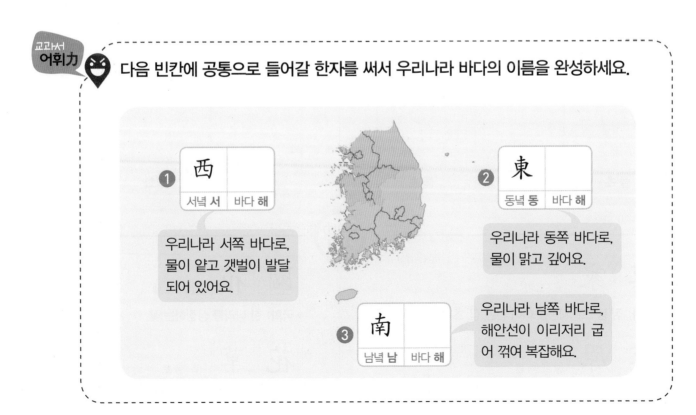

❶ 西 □
서녘 서 | 바다 해

우리나라 서쪽 바다로, 물이 얕고 갯벌이 발달되어 있어요.

❷ 東 □
동녘 동 | 바다 해

우리나라 동쪽 바다로, 물이 맑고 깊어요.

❸ 南 □
남녘 남 | 바다 해

우리나라 남쪽 바다로, 해안선이 이리저리 굽어 꺾여 복잡해요.

草

풀 초

햇빛을 받고 자라는 풀의 모습으로,
풀을 뜻해요.

花

꽃 화

풀이 땅속에 뿌리를 내려 꽃을 피운
모습으로, **꽃**을 뜻해요.

(부수) ⺾(艸)　　(획수) 총 10획

(쓰는 순서) 一 十 卄 艹 艹 莒 莒 草 草 草

草

草	草	
풀 초	풀 초	풀 초
풀 초	풀 초	풀 초

(부수) ⺾(艸)　　(획수) 총 8획

(쓰는 순서) 一 十 卄 艹 艹 芢 花 花

花	花	
꽃 화	꽃 화	꽃 화
꽃 화	꽃 화	꽃 화

어휘力 사전

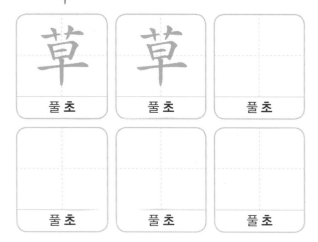

草 家　家: 집 가

● **초가**: 짚 등으로 지붕을 이어 만든 집. 초가집.

草 原　原: 언덕 원

● **초원**: 풀이 나 있는 들판.

國 花　國: 나라 국

● **국화**: 한 나라를 상징하는 꽃.

花 草　草: 풀 초

● **화초**: 꽃이 피는 풀이나 작은 나무.

정답 171쪽

다음 한자의 훈과 음을 찾아 선으로 이으세요.

다음 밑줄 친 단어의 한자를 찾아 번호를 쓰세요.

| ① 國花 | ② 花草 | ③ 草家 | ④ 草原 |

❶ 흥부는 초가에 살았습니다. （　　）

❷ 우리나라의 국화는 무궁화입니다. （　　）

❸ 말이 푸른 초원을 힘차게 달립니다. （　　）

❹ 이 화초는 물을 조금씩 자주 주어야 합니다. （　　）

다음 빈칸에 공통으로 들어갈 알맞은 한자를 써서 꽃 이름을 완성하세요.

다음 한자의 훈과 음을 찾아 선으로 이으세요.

1 天 •

2 然 •

3 川 •

4 林 •

5 花 •

• 꽃 화

• 내 천

• 그릴 연

• 수풀 림

• 하늘 천

다음 파란색으로 쓴 한자의 훈과 음을 쓰세요.

1 이곳은 토地가 기름집니다. 　훈 _____　음 _____

2 미역과 다시마는 해草입니다. 　훈 _____　음 _____

3 바닷가에서 海녀를 보았습니다. 　훈 _____　음 _____

4 온도가 높아지면 自동으로 꺼집니다. 　훈 _____　음 _____

5 우리나라에는 아름다운 江산이 많습니다. 　훈 _____　음 _____

[1~4] 다음 밑줄 친 한자어의 음을 쓰세요.

> 漢字 → 한자

1. 화분에 <u>花草</u>를 심었습니다.

2. 십 년이면 <u>江山</u>도 변합니다.

3. <u>平地</u>에서는 주로 논농사를 짓습니다.

4. 우리나라 <u>自然</u>은 무척 아름답습니다.

[5~8] 다음 한자의 훈과 음을 쓰세요.

> 字 → 글자 자

5. 地

6. 然

7. 川

8. 海

[9~13] 다음 밑줄 친 한자어를 보기에서 골라 그 번호를 쓰세요.

> 보기
> ① 西海   ② 河川   ③ 自身
> ④ 山林   ⑤ 草家

9. <u>산림</u>을 훼손하면 안 됩니다.

10. 우리나라 <u>서해</u>에는 갯벌이 있습니다.

11. 이 지역에는 오래된 <u>초가</u>가 많습니다.

12. 큰비로 <u>하천</u>이 흘러넘쳐 피해가 큽니다.

13. 내 동생은 <u>자신</u>의 마음대로 되지 않으면 떼를 씁니다.

[14~15] 다음 한자의 상대 또는 반대되는 한자를 보기에서 골라 그 번호를 쓰세요.

> 보기
> ① 江   ② 地

14. 天 ⟷ (   )

15. 山 ⟷ (   )

[16~18] 다음 뜻에 맞는 한자어를 보기에서 찾아 그 번호를 쓰세요.

> 보기
> ① 國花   ② 自然   ③ 海外

16. 바다 건너 다른 나라.

17. 한 나라를 상징하는 꽃.

18. 산, 강, 바다처럼 저절로 이루어진 것.

[19~20] 다음 한자의 진하게 표시한 획은 몇 번째 쓰는지 보기에서 찾아 그 번호를 쓰세요.

> 보기
> ① 첫 번째   ② 두 번째   ③ 세 번째
> ④ 네 번째   ⑤ 다섯 번째   ⑥ 여섯 번째

19. 自

20. 地

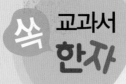

강과 바다 주변의 모습

江(강)이나 海(바다)는 흘러가면서 주변 땅의 모습을 변화시킵니다. 우리가 산에 놀러 갔을 때 만나는 계곡이나, 바닷가에 갔을 때 볼 수 있는 모래사장, 웅장한 절벽이나 동굴이 바로 강이나 바다에 의해 생긴 것들이지요.

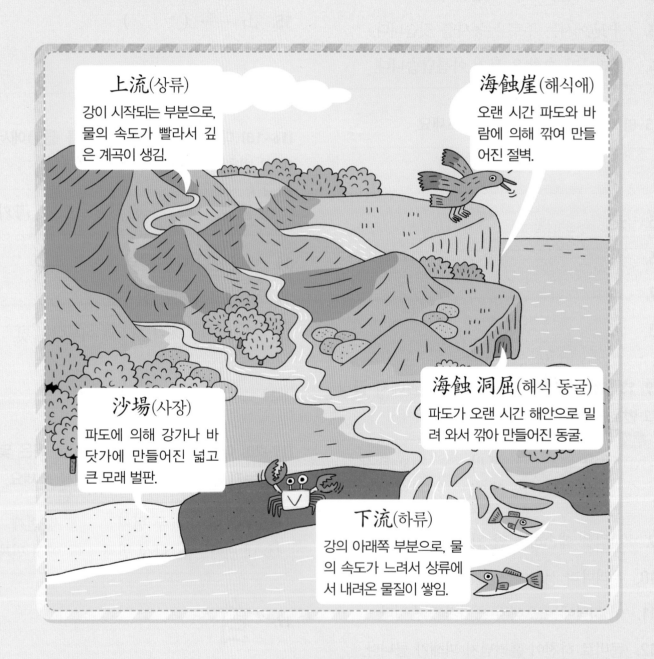

上流(상류) 강이 시작되는 부분으로, 물의 속도가 빨라서 깊은 계곡이 생김.

海蝕崖(해식애) 오랜 시간 파도와 바람에 의해 깎여 만들어진 절벽.

沙場(사장) 파도에 의해 강가나 바닷가에 만들어진 넓고 큰 모래 벌판.

海蝕 洞屈(해식 동굴) 파도가 오랜 시간 해안으로 밀려 와서 깎아 만들어진 동굴.

下流(하류) 강의 아래쪽 부분으로, 물의 속도가 느려서 상류에서 내려온 물질이 쌓임.

앞으로 강이나 바닷가에 놀러 가면 주변 땅의 모습이나 절벽, 해안가 등을 살펴보면서 그곳이 어떻게 만들어졌는지 떠올려 보도록 해요.

4주

1일	春 봄 춘		夏 여름 하	
2일	秋 가을 추		冬 겨울 동	
3일	午 낮 오		夕 저녁 석	
4일	時 때 시		間 사이 간	
5일	有 있을 유		色 빛 색	

春
봄 춘

夏
여름 하

새싹이 파릇하게 돋는 모습으로,
새싹이 돋는 계절인 **봄**을 뜻해요.

여름에 비가 오게 해 달라고 비는 사람의
모습으로, **여름**을 뜻해요.

（부수） 日　　（획수） 총 9획
（쓰는 순서） 一 二 三 声 夫 表 春 春
春

春	春	
봄 춘	봄 춘	봄 춘
봄 춘	봄 춘	봄 춘

（부수） 夂　　（획수） 총 10획
（쓰는 순서） 一 一 厂 百 百 百 百 頁 頁 夏
夏 夏

夏	夏	
여름 하	여름 하	여름 하
여름 하	여름 하	여름 하

어휘力 사전

立 春　立: 설 립(입)

● **입춘**: 봄이 시작되는 때. 이십사절기의 하나.

青 春　青: 푸를 청

● **청춘**: 한창 젊은 나이. 젊은 시절.

立 夏　立: 설 립(입)

● **입하**: 여름이 시작되는 때. 이십사절기의 하나.

夏 服　服: 옷 복

● **하복**: 여름철에 입는 옷.

다음 한자의 훈과 음을 쓰세요.

①

②

다음 밑줄 친 단어의 한자를 찾아 번호를 쓰세요.

① 立春   ② 青春   ③ 立夏   ④ 夏服

❶ 여름에는 <u>하복</u>을 입습니다.   (   )

❷ <u>입춘</u>이 되자 새싹이 돋아나기 시작했습니다.   (   )

❸ <u>입하</u>가 훌쩍 지나 이제 날이 무척 덥습니다.   (   )

❹ 노인은 자신의 <u>청춘</u>을 돌아보며 생각에 잠겼습니다.   (   )

교과서 어휘力 다음 내용을 보고 빈칸에 알맞은 한자를 써서 설명하는 현상이 무엇인지 알아보세요.

봄철에 몸이 나른하고 졸음이 오며 피로를 쉽게 느끼는 증상이에요. 겨울 동안 움츠렸던 몸이 따뜻한 봄날에 적응하며 생기는 것이지요.

↓

	困	症
봄 춘	곤할 곤	증세 증

秋
가을 추

곡식이 익어 가는 모습으로,
곡식을 수확하는 계절인 **가을**을 뜻해요.

冬
겨울 동

얼음이 꽁꽁 언 모습으로,
추운 계절인 **겨울**을 뜻해요.

(부수) 禾　　　(획수) 총 9획
(쓰는 순서) ノ 一 二 千 千 禾 禾 禾 秋 秋

秋	秋	
가을 **추**	가을 **추**	가을 **추**
가을 **추**	가을 **추**	가을 **추**

(부수) 冫　　　(획수) 총 5획
(쓰는 순서) ノ ク 久 冬 冬

冬	冬	
겨울 **동**	겨울 **동**	겨울 **동**
겨울 **동**	겨울 **동**	겨울 **동**

어휘力 사전

秋 夕　　夕: 저녁 석
- **추석**: 민속 명절의 하나인, 음력 8월 15일. 한가위.

春 秋　　春: 봄 춘
- **춘추**: 봄과 가을. 어른의 나이를 높이는 말.

立 冬　　立: 설 립(입)
- **입동**: 겨울이 시작되는 때. 이십사절기의 하나.

春 夏 秋 冬
春: 봄 춘
夏: 여름 하
秋: 가을 추
- **춘하추동**: 봄, 여름, 가을, 겨울의 네 계절.

😊 다음 한자의 훈을 찾아 선으로 이으세요.

❶ 秋 •

❷ 冬 •

• 가을

• 겨울

😄 다음 밑줄 친 한자의 음을 찾아 번호를 쓰세요.

① 입동　　② 춘추　　③ 추석　　④ 춘하추동

❶ <u>秋夕</u>에는 송편을 먹습니다.　　　　　　　　　(　)

❷ <u>立冬</u>이 지나자 날이 추워졌습니다.　　　　　(　)

❸ 할아버지의 <u>春秋</u>를 여쭈어 보았습니다.　　　(　)

❹ 우리나라는 <u>春夏秋冬</u>의 사계절이 뚜렷합니다.　(　)

교과서
어휘力 😈 다음은 우리나라의 민속 명절 중 언제 하는 일인지 빈칸에 알맞은 한자를 쓰세요.

성묘를 가요.　송편을 먹어요.　보름달을 보며 소원을 빌어요.

	夕
가을 추	저녁 석

午

낮 오

막대를 똑바로 꽂아 그림자를 보고
한낮임을 알았다는 데서 **낮**을 뜻해요.

夕

저녁 석

해가 진 뒤에 달이 뜬 모습으로,
달이 뜨는 시간인 **저녁**을 뜻해요.

(부수) 十　　　(획수) 총 4획
(쓰는 순서) ノ　一　二　午

午	午	
낮 오	낮 오	낮 오
낮 오	낮 오	낮 오

(부수) 夕　　　(획수) 총 3획
(쓰는 순서) ノ　ク　夕

夕	夕	
저녁 석	저녁 석	저녁 석
저녁 석	저녁 석	저녁 석

어휘力 사전

正 午　　正: 바를 정

● **정오**: 낮 열두 시.

午 後　　後: 뒤 후

● **오후**: 낮 열두 시부터 밤 열두 시까지의 동안.

七 夕　　七: 일곱 칠

● **칠석**: 음력 7월 7일. 견우와 직녀가 만난다는 날.

夕 陽　　陽: 볕 양

● **석양**: 저녁때의 햇빛. 해가 지는 저녁 무렵.

 다음 한자의 훈과 음을 찾아 선으로 이으세요.

① 午 • • 저녁 석 • • 夕 ②

• 낮 오 •

😊 다음 밑줄 친 단어의 한자를 찾아 번호를 쓰세요.

① 正午　　② 午後　　③ 夕陽　　④ 七夕

❶ 석양이 지는 하늘을 바라봅니다.　　　　　　　　　(　)

❷ 오늘은 오후 3시 30분에 하교를 합니다.　　　　　(　)

❸ 정오가 되자 해가 더 뜨겁게 내리쬡니다.　　　　　(　)

❹ 칠석에는 오작교에서 견우와 직녀가 만난다고 합니다.　(　)

교과서 어휘力 😈 다음 빈칸에 알맞은 한자를 써서 낱말을 완성하세요.

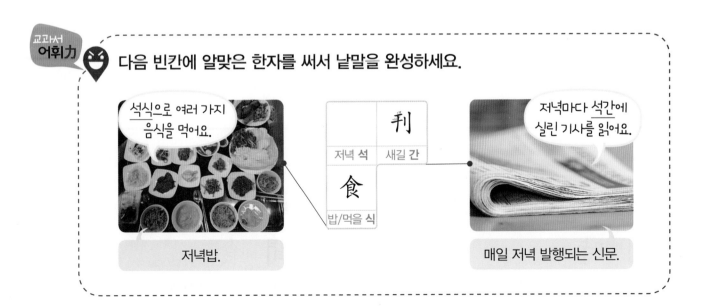

석식으로 여러 가지 음식을 먹어요.

저녁마다 석간에 실린 기사를 읽어요.

| 刊 |
| 저녁 석 | 새길 간 |
| 食 |
| 밥/먹을 식 |

저녁밥.

매일 저녁 발행되는 신문.

때 시

해가 지나가는 모습으로,

시간이 흘러간다는 데서 **때**를 뜻해요.

사이 간

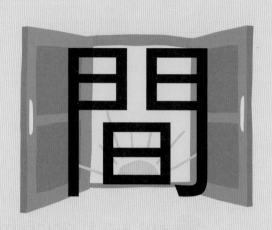

문틈으로 빛이 들어오는 모습으로, 문 사이로

해가 떠오른다는 데서 **사이**를 뜻해요.

（부수）日　　　　（획수）총 10획
（쓰는
순서）丨 冂 冂 日 日 旷 旷 旷 旷
時 時

| 때 시 | 때 시 | 때 시 |
| 때 시 | 때 시 | 때 시 |

（부수）門　　　　（획수）총 12획
（쓰는
순서）丨 冂 冂 冂 冃 冃 門 門 門
門 門 間

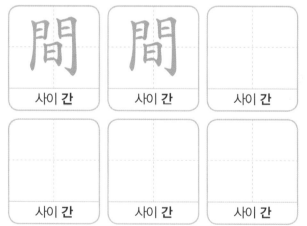

| 사이 간 | 사이 간 | 사이 간 |
| 사이 간 | 사이 간 | 사이 간 |

어휘力
사전

時 間　　間: 사이 간

● **시간**: 어떤 시각에서 다른 시각까지의 동안.

同 時　　同: 한가지 동

● **동시**: 무슨 일이 일어난 바로 그 시간.

中 間　　中: 가운데 중

● **중간**: 두 사물의 사이. 가운데.

間 食　　食: 밥/먹을 식

● **간식**: 끼니와 끼니 사이에 간단히 먹는 음식.

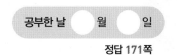
😊 다음 한자의 훈과 음을 쓰세요.

❶ 時

❷ 間

😊 다음 밑줄 친 단어의 한자를 찾아 선으로 이으세요.

❶ 간식으로 포도를 먹었습니다. •

• 同時

❷ 저는 점심 시간에 축구를 합니다. •

• 中間

❸ 두 사람이 동시에 결승점에 들어왔습니다. •

• 時間

❹ 학교와 집의 중간에서 친구를 만났습니다. •

• 間食

교과서 어휘力 😈 다음 내용을 보고 빈칸에 공통으로 들어갈 한자를 써서 단어를 완성하세요.

출입문이나 대문이 있는 곳이에요.

산과 산 사이에 산골짜기가 많은 곳이에요.

아무것도 없는 빈 곳이에요.

❶ 門 □
문 문 | 사이 간

❷ 山 □
메 산 | 사이 간

❸ 空 □
빌 공 | 사이 간

有
있을 유

손에 고기를 들고 있는 모습으로,
먹을거리가 있다는 데서 **있다**를 뜻해요.

色
빛 색

무릎을 꿇은 사람의 모습으로, 힘들어
얼굴빛이 변한다는 데서 **빛**(빛깔)을 뜻해요.

(부수) 月　　　(획수) 총 6획
(쓰는 순서) ノ ナ オ 有 有 有

有	有	
있을 유	있을 유	있을 유
있을 유	있을 유	있을 유

(부수) 色　　　(획수) 총 6획
(쓰는 순서) ノ ⺈ ⺈ 争 多 色

色	色	
빛 색	빛 색	빛 색
빛 색	빛 색	빛 색

어휘力 사전

有 名　名: 이름 명
● **유명**: 이름이 사람들 사이에 널리 알려짐.

所 有　所: 바 소
● **소유**: 자기의 것으로 가짐. 자기의 것으로 가진 물건.

生 色　生: 날 생
● **생색**: 남에게 도움을 주고 그것을 지나치게 자랑하는 태도.

氣 色　氣: 기운 기
● **기색**: 마음속의 감정, 생각이 얼굴, 행동에 나타나는 것.

다음 한자와 뜻이 반대되는 한자에 ◯표 하세요.

無			
없을 무	↔	**1** 色	**2** 有
		( )	( )

다음 밑줄 친 한자의 음을 찾아 번호를 쓰세요.

① 생색　　　② 소유　　　③ 기색　　　④ 유명

1 우리 고장은 뛰어난 경치로 **有名**합니다.　　　　　　　(　)

2 친구는 지우개를 빌려 주고 무척 **生色**을 냈습니다.　　(　)

3 현우는 잘못을 반성하는 **氣色**이 조금도 없었습니다.　(　)

4 공공시설은 개인의 **所有**가 아니므로 깨끗이 써야 합니다.　(　)

교과서 어휘力 다음 빈칸에 알맞은 한자를 써서 사자성어를 완성하세요.

풀빛과 녹색은 같은 색이라는 뜻으로, 비슷한 사람들끼리 어울린다는 뜻이에요.

1

草	綠		同	
풀 초	푸를 록	한가지 동	빛 색

입은 있으나 말이 없다라는 뜻으로, 변명할 말이 없다는 뜻이에요.

2

	口	無	言
있을 유	입 구	없을 무	말씀 언

📍 다음 한자의 훈과 음을 찾아 선으로 이으세요.

1	春	•		•	때 시
2	時	•		•	봄 춘
3	夕	•		•	저녁 석
4	有	•		•	겨울 동
5	冬	•		•	있을 유

📍 다음 파란색으로 쓴 한자의 훈과 음을 쓰세요.

1 가을에는 秋수를 합니다.　　　　훈 _____　음 _____

2 단午에는 그네뛰기를 합니다.　　　훈 _____　음 _____

3 한 시間 동안 책을 읽었습니다.　　훈 _____　음 _____

4 夏절기에는 난방을 하지 않습니다.　훈 _____　음 _____

5 오色 단풍이 절정을 이루었습니다.　훈 _____　음 _____

[1~4] 다음 밑줄 친 한자어의 음을 쓰세요.

> 漢字 → 한자

1. <u>午後</u> 늦게 눈이 올 것입니다.

2. 약속 <u>時間</u>에 맞춰 도착했습니다.

3. <u>秋夕</u>을 맞아 송편을 빚었습니다.

4. 이 영화에는 <u>靑春</u> 남녀가 등장합니다.

[5~8] 다음 한자의 훈과 음을 쓰세요.

> 字 → 글자 자

5. 春

6. 夕

7. 間

8. 色

[9~13] 다음 밑줄 친 한자어를 보기 에서 골라 그 번호를 쓰세요.

> 보기
> ① 有名   ② 立冬   ③ 正午
> ④ 夕陽   ⑤ 同時

9. 우리는 <u>정오</u>에 점심을 먹습니다.

10. 오늘은 겨울이 시작되는 <u>입동</u>입니다.

11. 그 식당의 음식은 맛이 좋기로 <u>유명</u>합니다.

12. 우리 편은 시작과 <u>동시</u>에 골을 넣었습니다.

13. 서쪽 하늘에 붉은 <u>석양</u>이 펼쳐져 있습니다.

[14~15] 다음 한자의 상대 또는 반대되는 한자를 보기 에서 골라 그 번호를 쓰세요.

> 보기
> ① 冬   ② 有

14. 空_{빌공} ⟷ (   )

15. 夏   ⟷ (   )

[16~18] 다음 뜻에 맞는 한자어를 보기 에서 찾아 그 번호를 쓰세요.

> 보기
> ① 生色   ② 中間   ③ 所有

16. 두 사물의 사이.

17. 남에게 도움을 주고 그것을 지나치게 자랑하는 태도.

18. 자기의 것으로 가짐. 또는 자기의 것으로 가진 물건.

[19~20] 다음 한자의 진하게 표시한 획은 몇 번째 쓰는지 보기 에서 찾아 그 번호를 쓰세요.

> 보기
> ① 첫 번째   ② 두 번째   ③ 세 번째
> ④ 네 번째   ⑤ 다섯 번째   ⑥ 여섯 번째

19. 冬

20. 有

우리나라의 사계절

한자로 봄은 春(춘), 여름은 夏(하), 가을은 秋(추), 겨울은 冬(동)이에요. 그래서 봄, 여름, 가을, 겨울의 사계절을 春夏秋冬(춘하추동)이라고 해요.

봄에는 꽃이 피어요.

여름은 해가 쨍쨍해서 더워요.

가을에는 단풍이 들어요.

겨울에는 하얀 눈이 와요.

春(춘) 夏(하) 秋(추) 冬(동)

춘하추동의 앞에 立(설 립(입)) 자를 붙이면 각 계절의 시작을 나타내는 절기인 立春(입춘), 立夏(입하), 立秋(입추), 立冬(입동)이 된답니다.

5주

1일
 男 사내 **남**
 子 아들 **자**

2일
 主 임금/주인 **주**
 夫 지아비 **부**

3일
 祖 할아비 **조**
 孝 효도 **효**

4일
 姓 성 **성**
 名 이름 **명**

5일
 世 인간 **세**
 安 편안 **안**

男

사내 남

밭에서 힘써 일하고 있는 사람의 모습으로,
사내(남자)를 뜻해요.

子

아들 자

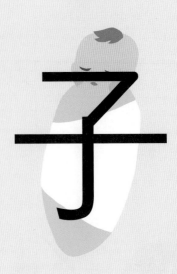

포대기에 싸여 있는 아이의 모습으로,
아들이나 **자식**을 뜻해요.

(부수) 田　　(획수) 총 7획
(쓰는 순서) 丶 冂 曰 田 田 罗 男

男	男	
사내 **남**	사내 **남**	사내 **남**
사내 **남**	사내 **남**	사내 **남**

(부수) 子　　(획수) 총 3획
(쓰는 순서) 丁 了 子

子	子	
아들 **자**	아들 **자**	아들 **자**
아들 **자**	아들 **자**	아들 **자**

어휘力 사전

男 女　女: 계집 녀
● **남녀**: 남자와 여자.

長 男　長: 긴 장
● **장남**: 첫 번째로 태어난 아들.

子 女　女: 계집 녀
● **자녀**: 아들과 딸. 자식.

父 子　父: 아비 부
● **부자**: 아버지와 아들.

😊 다음 한자의 훈과 음을 찾아 선으로 이으세요.

❶ 男 • • 사내 남 • • 子 ❷

• 아들 자 •

😄 다음 밑줄 친 한자의 음을 찾아 번호를 쓰세요.

| ① 남녀 | ② 부자 | ③ 자녀 | ④ 장남 |

❶ 저는 삼 형제 중 **長男**입니다.　　　　　　(　)

❷ 우리 **父子**는 서로 닮았습니다.　　　　　　(　)

❸ 직업에 **男女**의 구분이 점차 사라지고 있습니다.　(　)

❹ 부모와 **子女** 사이에는 대화를 많이 해야 합니다.　(　)

교과서 어휘力 😈 다음 ◯ 안에 공통으로 들어갈 알맞은 한자를 빈칸에 쓰세요.

主
주인 주

집 안을 밝히는 촛불의 모습으로, 주인이 집 안의
촛불을 관리한다는 데서 **주인**을 뜻해요.

夫
지아비 부

비녀를 꽂고 상투를 튼 옛날 남자의
모습으로, **지아비**(남편)를 뜻해요.

（부수）、 　　　 （획수）총 5획
（쓰는 순서）、 ゛ 三 主 主

主	主	
임금/주인 **주**	임금/주인 **주**	임금/주인 **주**
임금/주인 **주**	임금/주인 **주**	임금/주인 **주**

＊主는 '임금 주'로도 쓰여요.

（부수）大 　　　 （획수）총 4획
（쓰는 순서）一 二 夫 夫

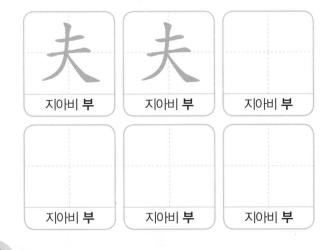

夫	夫	
지아비 **부**	지아비 **부**	지아비 **부**
지아비 **부**	지아비 **부**	지아비 **부**

어휘力 사전

主 人 　人: 사람 인
● **주인**: 물건을 가지고 있는 사람. 손님을 맞이하는 사람.

主 食 　食: 밥/먹을 식
● **주식**: 밥, 빵처럼 끼니에 주로 먹는 음식.

工 夫 　工: 장인 공
● **공부**: 학문이나 기술을 배우고 익힘.

夫 婦 　婦: 며느리 부
● **부부**: 결혼해서 같이 가정을 이루고 사는 남자와 여자.

😊 다음 한자와 뜻이 반대되는 한자에 ◯표 하세요.

客	↔	① 主	② 夫
손님 객		( )	( )

😊 다음 밑줄 친 한자의 음을 찾아 번호를 쓰세요.

① 주인	② 공부	③ 부부	④ 주식

① 우리나라 사람들의 __主食__은 쌀입니다.　　　　　( )

② __夫婦__는 서로 배려하고 존중해야 합니다.　　　　( )

③ 이 물건의 __主人__이 몇 달째 나타나지 않습니다.　( )

④ 스스로 __工夫__하는 습관을 기르는 것이 중요합니다.　( )

교과서 어휘力 😈 다음 내용을 보고 빈칸에 공통으로 들어갈 한자를 쓰세요.

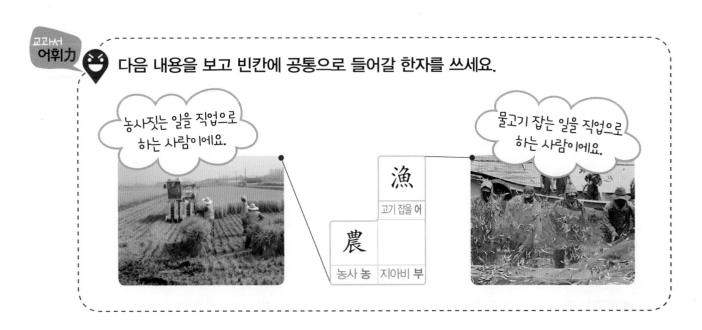

농사짓는 일을 직업으로 하는 사람이에요.

물고기 잡는 일을 직업으로 하는 사람이에요.

漁
고기 잡을 어

農
농사 농　지아비 부

祖
할아비 조

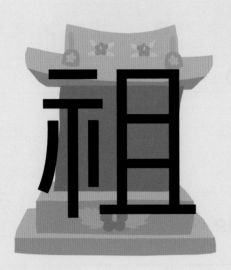

비석의 모습으로, 비석을 세우고 제사를 지내야
하는 조상인 **할아비**(할아버지)를 뜻해요.

孝
효도 효

자식이 늙은 부모님을 업고 가는 모습으로,
부모님을 잘 섬기는 일인 **효도**를 뜻해요.

(부수) 示　　(획수) 총 10획
(쓰는 순서) 一 二 三 亍 示 示 利 和 祖 祖 祖

祖	祖	
할아비 **조**	할아비 **조**	할아비 **조**
할아비 **조**	할아비 **조**	할아비 **조**

(부수) 子　　(획수) 총 7획
(쓰는 순서) 一 十 土 耂 耂 孝 孝

孝	孝	
효도 **효**	효도 **효**	효도 **효**
효도 **효**	효도 **효**	효도 **효**

어휘力 사전

祖 父 母　　父: 아비 부, 母: 어미 모

● **조부모**: 할아버지와 할머니.

先 祖　　先: 먼저 선

● **선조**: 민족의 옛사람. 한 집안의 조상.

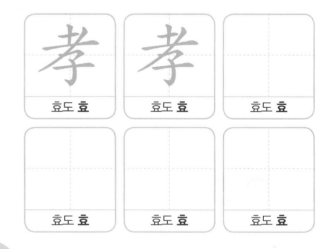

孝 女　　女: 계집 녀

● **효녀**: 부모를 정성스럽게 받드는 딸.

孝 心　　心: 마음 심

● **효심**: 부모님께 효도하는 마음.

😊 다음 한자의 훈과 음을 찾아 선으로 이으세요.

① 祖 ·

· 효도 효 ·

· 할아비 조 ·

孝 ②

😊 다음 밑줄 친 단어의 한자를 찾아 번호를 쓰세요.

① 孝女　　② 孝心　　③ 祖父母　　④ 先祖

❶ 제 이름은 <u>조부모</u>께서 지어 주셨습니다.　　　　　(　)

❷ 우리는 <u>선조</u>들의 지혜를 본받아야 합니다.　　　　(　)

❸ 채우가 <u>효녀</u>라고 동네에 소문이 났습니다.　　　　(　)

❹ 청년은 <u>효심</u>이 지극하여 부모님을 잘 모셨습니다.　(　)

교과서 어휘力 😈 다음 내용을 보고 빈칸에 알맞은 한자를 써서 옛이야기의 제목을 완성하세요.

앞을 보지 못하는 아버지의 눈을 뜨게 하기 위해 쌀 삼백 석에 팔려 가 인당수에 몸을 던진 심청의 이야기.

❶ [　] 女 심청
효도 효 ／ 계집 녀

나무꾼을 자신의 형님이라고 착각한 호랑이가 나무꾼의 어머니께 효도하였다는 이야기.

❷ [　] 子 호랑이
효도 효 ／ 아들 자

姓
성 성

여자(女)에 의해 태어나는(生) 것이
결정된다는 데서, **성**(성씨)을 뜻해요.

名
이름 명

어두운 저녁(夕)에 이름을 불러(口) 누구인지
확인하는 모습으로, **이름**을 뜻해요.

(부수) 女　　　(획수) 총 8획
(쓰는 순서) ㄑ ㄑ 女 女 女 女 姓 姓

姓	姓	
성 성	성 성	성 성
성 성	성 성	성 성

(부수) 口　　　(획수) 총 6획
(쓰는 순서) ノ ク タ タ 名 名

名	名	
이름 명	이름 명	이름 명
이름 명	이름 명	이름 명

어휘力 사전

姓 名　名: 이름 명
• **성명**: 성과 이름을 아울러 이르는 말.

百 姓　百: 일백 백
• **백성**: 국민을 예스럽게 이르는 말.

名 所　所: 바 소
• **명소**: 아름다운 경치나 유적 등으로 널리 이름난 곳.

別 名　別: 나눌/다를 별
• **별명**: 남들이 지어 부르는 다른 이름.

다음 뜻에 알맞은 한자의 음을 쓰세요.

성과 이름. → 姓名

 다음 밑줄 친 한자의 음을 찾아 번호를 쓰세요.

① 성명　　② 명소　　③ 백성　　④ 별명

❶ 내 친구 나연이의 別名은 척척박사입니다.　　(　　　)

❷ 제주도는 우리나라의 대표적인 관광 名所입니다.　　(　　　)

❸ 임금은 百姓이 편안하게 살도록 해 주어야 합니다.　　(　　　)

❹ 자신의 姓名을 적어야 이곳에 들어갈 수 있습니다.　　(　　　)

교과서 어휘力 다음 빈칸에 알맞은 한자를 써서 완도를 알리는 글을 완성하세요.

대한민국의 ❶ ☐所 , 완도로 오
　　　　　　　이름 명 │ 바 소
세요. 완도의 ❷ ☐物 인 전복이
　　　　　　　이름 명 │ 물건 물
여러분을 기다립니다.

인간 세

나뭇잎이 새로 돋고 지는 모습을 인간의 삶에
빗대어 나타낸 것으로, **인간**을 뜻해요.

편안 안

집 안에 고요하게 앉아 있는 여자의
모습으로, **편안하다**를 뜻해요.

（부수）一　　　　（획수）총 5획
（쓰는순서）一 十 卄 卅 世

| 인간 세 | 인간 세 | 인간 세 |
| 인간 세 | 인긴 세 | 인간 세 |

（부수）宀　　　　（획수）총 6획
（쓰는순서）丶 丶 宀 宀 安 安

| 편안 안 | 편안 안 | 편안 안 |
| 편안 안 | 편안 안 | 편안 안 |

어휘力 사전

世 上　　上: 윗상
● **세상**: 사람이 살고 있는 사회.

出 世　　出: 날출
● **출세**: 사회적으로 높은 지위에 오르거나 유명해짐.

安 心　　心: 마음 심
● **안심**: 걱정을 버리고 마음을 편히 가짐.

安 全　　全: 온전 전
● **안전**: 위험하거나 사고가 날 걱정이 없음.

😊 다음 한자의 훈과 음을 쓰세요.

❶ 世

❷ 安

😄 다음 밑줄 친 단어의 한자를 찾아 번호를 쓰세요.

① 出世　　② 世上　　③ 安全　　④ 安心

❶ 눈이 내려 온 <u>세상</u>을 하얗게 덮었습니다.　　　　　　（　　）

❷ 위험한 고비는 넘겼으니 <u>안심</u>해도 됩니다.　　　　　　（　　）

❸ 그 선비는 <u>출세</u>하는 것에는 관심이 없습니다.　　　　（　　）

❹ 지진이 나면 <u>안전</u>한 곳으로 대피해야 합니다.　　　　（　　）

교과서 어휘力 😈 다음 내용을 보고 빈칸에 들어갈 알맞은 한자를 쓰세요.

물놀이 ☐ 全 수칙
　　　편안 안　온전 전

물에 들어가기 전에 준비 운동을 해요.

발이 닿지 않는 깊은 곳에는 들어가지 않아요.

📍 다음 한자의 훈과 음을 찾아 선으로 이으세요.

1 主 • • 편안 안

2 名 • • 임금/주인 주

3 孝 • • 효도 효

4 夫 • • 이름 명

5 安 • • 지아비 부

📍 다음 파란색으로 쓴 한자의 훈과 음을 쓰세요.

1 시험지에 姓명을 썼습니다.   훈 _____   음 _____

2 저는 祖부모님과 함께 삽니다.   훈 _____   음 _____

3 하굣길에 男동생을 만났습니다.   훈 _____   음 _____

4 世상에는 다양한 식물이 있습니다.   훈 _____   음 _____

5 작은 아버지의 子녀는 중학생입니다.   훈 _____   음 _____

[1~4] 다음 밑줄 친 한자어의 음을 쓰세요.

漢字 → 한자

1. 고모는 <u>子女</u>가 두 명입니다.

2. 수학 <u>工夫</u>를 열심히 했습니다.

3. 이것은 <u>名人</u>이 만든 칼입니다.

4. 우리 반은 <u>男子</u> 학생이 더 많습니다.

[5~8] 다음 한자의 훈과 음을 쓰세요.

字 → 글자 자

5. 夫

6. 孝

7. 世

8. 姓

[9~13] 다음 밑줄 친 한자어를 보기에서 골라 그 번호를 쓰세요.

보기
① 先祖   ② 名所   ③ 安心
④ 百姓   ⑤ 主食

9. 지애는 빵을 <u>주식</u>으로 먹습니다.

10. 지도에서 <u>명소</u>를 찾아보았습니다.

11. <u>백성</u>이 편안해야 나라가 편안합니다.

12. 이것은 <u>선조</u> 대대로 내려온 책입니다.

13. 집에 온 동생을 보니 <u>안심</u>이 되었습니다.

[14~15] 다음 한자의 상대 또는 반대되는 한자를 보기에서 골라 그 번호를 쓰세요.

보기
① 主   ② 男

14. 女   ⟷ (   )

15. 客_{손님 객} ⟷ (   )

[16~18] 다음 뜻에 맞는 한자어를 보기에서 찾아 그 번호를 쓰세요.

보기
① 夫婦   ② 主人   ③ 孝心

16. 부모님께 효도하는 마음.

17. 물건을 가지고 있는 사람.

18. 결혼해서 같이 가정을 이루고 사는 남자와 여자.

[19~20] 다음 한자의 진하게 표시한 획은 몇 번째 쓰는지 보기에서 찾아 그 번호를 쓰세요.

보기
① 첫 번째   ② 두 번째   ③ 세 번째
④ 네 번째   ⑤ 다섯 번째   ⑥ 여섯 번째

19. 主

20. 名

조선 시대 왕의 이름

조선 시대 왕들의 이름을 살펴보면 대부분 '宗(종)'이나 '祖(조)'로 끝나요. '태조, 정종, 태종, 세종, 문종, 단종, 세조'와 같이 말이에요. 그렇다면 '종'과 '조'는 어떻게 다를까요?

조선 시대 왕의 이름은 왕이 죽은 다음에 업적에 따라 붙이는데, '祖(조)'는 나라를 처음 세웠거나 그에 버금가는 공을 쌓은 왕에게 주로 붙였어요. 그래서 조선을 세운 왕은 태조라고 불러요.

'宗(종)'은 대를 이어 나라를 다스리며 후세에 길이 남을 훌륭한 업적을 남긴 왕에게 붙였어요. 한글을 창제한 왕, 세종처럼 말이에요.

太祖(태조)　　　世宗(세종)

이제 '祖(조)'와 '宗(종)'의 차이를 잘 알겠지요? 앞으로 조선 시대 왕의 이름을 볼 때에는 이 점을 기억하며 왕이 어떤 업적을 남겼는지 살펴보도록 해요.

6주

1일	百 일백 백	千 일천 천
2일	不 아닐 불/부	正 바를 정
3일	算 셈 산	數 셈 수
4일	空 빌 공	每 매양 매
5일	同 한가지 동	少 적을 소

일백 백

벌집 안에 벌이 백 마리 있는 모습으로,
一(한 일) 자와 白(흰 백) 자를 합쳐
일백, 온갖을 뜻해요.

일천 천

옛날에 천 단위의 수를 표시할 때 사람(人)의
다리 부분에 일(一) 자를 그었다는 데서
일천을 뜻해요.

(부수) 白　　　(획수) 총 6획
(쓰는 순서) 一　丆　丆　百　百　百

| 일백 **백** | 일백 **백** | 일백 **백** |
| 일백 **백** | 일백 **백** | 일백 **백** |

(부수) 十　　　(획수) 총 3획
(쓰는 순서) 一　二　千

| 일천 **천** | 일천 **천** | 일천 **천** |
| 일천 **천** | 일천 **천** | 일천 **천** |

어휘力 사전

百 萬　萬: 일만 만
● **백만**: 만의 백 배.

百 方　方: 모 방
● **백방**: 온갖 방법. 여러 방면.

千 萬　萬: 일만 만
● **천만**: 만의 천 배.

千 金　金: 쇠 금
● **천금**: 많은 돈이나 비싼 값.

☺ 다음 수와 관련 있는 한자를 찾아 선으로 이으세요.

❶ 100   •   百   •   1000 ❷
        •   千

☺ 다음 밑줄 친 한자의 음을 찾아 번호를 쓰세요.

① 백만   ② 천만   ③ 백방   ④ 천금

❶ 목숨은 千金보다 소중합니다.   (   )

❷ 서울의 인구는 千萬 명이 넘습니다.   (   )

❸ 이 책은 지금까지 百萬 부 이상 팔렸습니다.   (   )

❹ 부모는 잃어버린 아이를 百方으로 찾아다녔습니다.   (   )

교과서 어휘력

😈 다음 빈칸에 공통으로 들어갈 한자를 써서 속담을 완성하세요.

말만 잘하면 어렵거나 불가능한 일도 해결할 수 있다는 말이에요.

무슨 일이든 그 일의 시작이 중요하다는 말이에요.

한양까지 천 리!

한양 → 1000리

❶ 말 한마디에 [일천 천] 냥 빚도 갚는다.

❷ [일천 천] 리 길도 한 걸음부터.

不
아닐 불

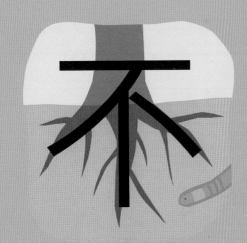

나무뿌리가 땅속에 묻혀 있어 보이지 않는다는 데서 **아니다**를 뜻해요.

正
바를 정

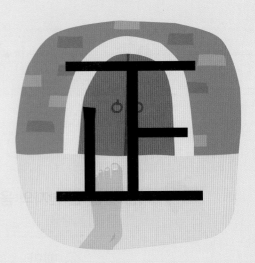

자신들이 적의 성 안으로 들어가 적을 물리치는 것이 옳다는 데서 **바르다**를 뜻해요.

（부수）一　　（획수）총 4획
（쓰는순서）一 フ ア 不

不	不	
아닐 불/부	아닐 불/부	아닐 불/부
아닐 불/부	아닐 물/부	아닐 물/무

＊不은 뒤에 첫머리가 ㄷ, ㅈ인 글자가 오면 '부'로 읽어요.

（부수）止　　（획수）총 5획
（쓰는순서）一 丅 下 止 正

正	正	
바를 정	바를 정	바를 정
바들 정	바들 정	바를 징

어휘力 사전

不 安　安: 편안 안
● **불안**: 몸이나 마음이 편하지 않고 걱정이 됨.

不 足　足: 발 족
● **부족**: 충분하지 않음. 모자람.

子 正　子: 아들 자
● **자정**: 밤 열두 시.

正 直　直: 곧을 직
● **정직**: 마음에 거짓이 없고 곧고 바름.

다음 뜻에 알맞은 한자의 음을 쓰세요.

옳지 못함. → 不正

다음 밑줄 친 단어의 한자를 찾아 번호를 쓰세요.

① 不安　　② 子正　　③ 正直　　④ 不足

❶ 자정이 되면 출입문이 닫힙니다. 　　　　　(　)

❷ 나는 불안해하는 친구를 꼭 안아주었습니다. 　(　)

❸ 수학 문제를 푸는 데 시간이 조금 부족했습니다. (　)

❹ 정직한 나무꾼은 금도끼와 은도끼를 모두 얻었습니다. (　)

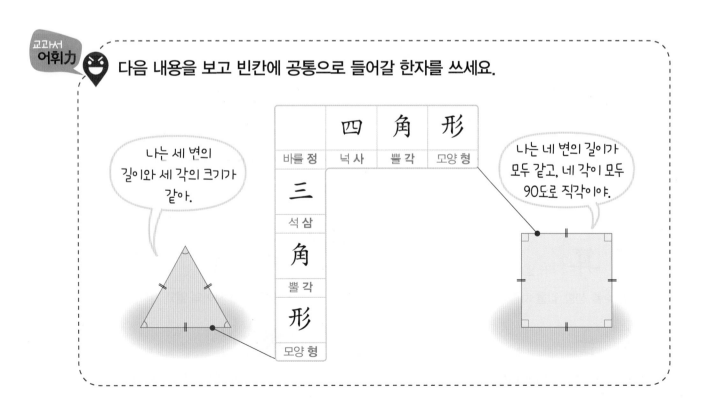

교과서 어휘力

다음 내용을 보고 빈칸에 공통으로 들어갈 한자를 쓰세요.

算
셈 산

대나무(竹)를 늘어놓거나 주판을 이용해 수를
세는 모습으로, **셈, 셈하다**를 뜻해요.

數
셈 수

막대기를 겹쳐 셈을 하는 모습으로,
셈, 세다를 뜻해요.

(부수) 竹　　(획수) 총 14획

(쓰는
순서) ノ 𠂆 𠂇 𥫗 𥫗 𥫗 竹 筲
筲 筲 筲 算 算 算

算	算	
셈 산	셈 산	셈 산
셈 산	셈 산	셈 산

(부수) 攵(攴)　　(획수) 총 15획

(쓰는
순서) 丶 口 日 日 甲 甲 甲 曲
曲 婁 婁 婁 數 數 數

數	數	
셈 수	셈 수	셈 수
셈 수	셈 수	셈 수

어휘力
사전

計 算　計: 셀 계

● **계산**: 수를 셈함. 값을 치름.

算 出　出: 날 출

● **산출**: 어떤 값을 계산하여 냄.

寸 數　寸: 마디 촌

● **촌수**: 친척 사이의 멀고 가까운 관계를 나타내는 수.

數 學　學: 배울 학

● **수학**: 수에 관한 학문. 수에 대해 배우는 과목.

😊 다음 한자의 훈과 음을 찾아 선으로 이으세요.

❶ 算 •   • 셈 산

❷ 數 •   • 셈 수

😄 다음 밑줄 친 한자의 음을 찾아 번호를 쓰세요.

> ① 수학   ② 산출   ③ 계산   ④ 촌수

❶ 여행 비용을 算出했습니다.   (   )

❷ 어머니와 나의 寸數는 일촌입니다.   (   )

❸ 가게에서 고른 과자의 값을 計算했습니다. (   )

❹ 민주가 가장 좋아하는 과목은 數學입니다. (   )

교과서 어휘力 😈 다음 빈칸에 알맞은 한자를 써서 수를 나타내는 말을 완성하세요.

우리는 가로선 위의 수를 그 아래의 수로 나누는 것을 나타낸 분수야.

우리는 1부터 시작해서 하나씩 더하여 얻는 수인 자연수야.

❶
分	
나눌 분	셈 수

❷
自	然	
스스로 자	그럴 연	셈 수

空
빌 공

도구(工)를 이용해 구덩이를 파는
모습으로, 파낸 곳이 비어 있다는 데서
비다, 없다를 뜻해요.

每
매양 매

머리에 비녀를 꽂은 여자의 모습으로,
비녀를 매일 꽂는다는 데서
매양(늘)을 뜻해요.

（부수）穴　　　（획수）총 8획
（쓰는 순서）丶 丷 宀 宀 空 空 空 空

空	空	
빌 공	빌 공	빌 공
빌 공	빌 공	빌 공

（부수）母　　　（획수）총 7획
（쓰는 순서）丿 𠂉 𠂉 每 每 每 每

每	每	
매양 매	매양 매	매양 매
매양 매	매양 매	매양 매

어휘력 사전

空 間　間: 사이 간
● **공간**: 아무것도 없는 빈 곳. 어떤 일을 하기 위한 장소.

空 氣　氣: 기운 기
● **공기**: 지구를 둘러싸고 있는, 맛과 색이 없는 기체.

每 日　日: 날 일
● **매일**: 그날그날. 날마다.

每 事　事: 일 사
● **매사**: 모든 일. 모든 일마다.

😊 다음 한자의 훈과 음을 쓰세요.

❶
每
[   ]

❷
空
[   ]

😊 다음 밑줄 친 단어의 한자를 찾아 선으로 이으세요.

❶ 산에 올라 맑은 공기를 마셨습니다. •

• 每事

❷ 저는 매일 아침마다 줄넘기를 합니다. •

• 每日

❸ 고양이는 좁은 공간에 몸을 숨겼습니다. •

• 空間

❹ 효주는 매사에 최선을 다해 노력합니다. •

• 空氣

교과서
어휘力

😈 다음 내용을 보고 빈칸에 공통으로 들어갈 한자를 써서 단어를 완성하세요.

	軍
빌 공	군사 군
港	
항구 항	

여객과 짐을 나르는 항공기가 내리고 뜨기 위한 시설을 갖춘 장소.

비행기를 사용해 국가를 지키는 일을 맡은 군대.

同

한가지 동

그릇과 덮개의 모습으로, 그릇과 그 덮개는
하나라는 데서 **한가지**를 뜻해요.

(부수) 口　　　(획수) 총 6획
(쓰는 순서) 丨 冂 冂 同 同 同

同	同	
한가지 **동**	한가지 **동**	한가지 **동**
한가지 **동**	한가지 **동**	한가지 **동**

少

적을 소

작은 물건 네 개가 남아 있는 모습으로,
적다를 뜻해요.

(부수) 小　　　(획수) 총 4획
(쓰는 순서) 亅 小 小 少

少	少	
적을 **소**	적을 **소**	적을 **소**
적을 **소**	적을 **소**	적을 **소**

어휘力
사전

同	生	生: 날 생

● **동생**: 같은 부모에게 태어난 자식 중 자기보다 어린 사람.

同	一	一: 한 일

● **동일**: 어떤 것과 비교하여 같음. 다른 것이 아니라 하나임.

多	少	多: 많을 다

● **다소**: 분량이나 정도의 많음과 적음.

少	年	年: 해 년

● **소년**: 어리지도 않고 다 자라지도 않은 남자아이.

다음 한자와 뜻이 반대되는 한자를 찾아 선으로 이으세요.

❶ 多
많을 다

•

• 同

❷ 異
다를 이

•

• 少

 다음 밑줄 친 한자의 음을 찾아 번호를 쓰세요.

① 소년　　　② 동생　　　③ 다소　　　④ 동일

❶ <u>同生</u>은 일 년 새 키가 훌쩍 컸습니다.　　(　)

❷ 과일 가격이 작년보다 <u>多少</u> 올랐습니다.　　(　)

❸ 이 책에는 <u>同一</u>한 내용이 여러 번 나옵니다.　　(　)

❹ 그 <u>少年</u>은 나이는 어리지만 생각이 깊습니다.　　(　)

교과서
어휘力 다음 내용을 보고 무엇에 대한 설명인지 빈칸에 알맞은 한자를 쓰세요.

글자의 모양은 같지만 뜻이 다른 말.	→		形	語
		한가지 동	모양 형	말씀 어

🔍 다음 한자의 훈과 음을 찾아 선으로 이으세요.

1	正	•		•	셈 수
2	算	•		•	매양 매
3	不	•		•	바를 정
4	每	•		•	셈 산
5	數	•		•	아니 불/부

🔍 다음 파란색으로 쓴 한자의 훈과 음을 쓰세요.

1 空중에 연기가 가득합니다.　　훈 _____ 음 _____

2 두 제품은 크기가 同일합니다.　　훈 _____ 음 _____

3 시간은 千금보다 소중합니다.　　훈 _____ 음 _____

4 다少 힘들더라도 최선을 다합시다.　　훈 _____ 음 _____

5 바둑이를 百방으로 찾아보았습니다.　　훈 _____ 음 _____

[1~4] 다음 밑줄 친 한자어의 음을 쓰세요.

漢字 → 한자

1. <u>每日</u> 일기를 씁니다.

2. <u>正面</u>에 산이 보입니다.

3. 그 차는 <u>千萬</u> 대가 넘게 팔렸습니다.

4. 겨울이 되자 <u>空氣</u>가 차가워졌습니다.

[5~8] 다음 한자의 훈과 음을 쓰세요.

字 → 글자 자

5. 百

6. 正

7. 算

8. 每

[9~13] 다음 밑줄 친 한자어를 보기 에서 골라 그 번호를 쓰세요.

보기
① 正直   ② 不足   ③ 同生
④ 空中   ⑤ 每事

9. 농촌의 일손이 <u>부족</u>합니다.

10. <u>동생</u>과 함께 놀이터에 갔습니다.

11. 비행기를 접어 <u>공중</u>으로 날렸습니다.

12. 항상 <u>정직</u>한 사람이 되려고 노력합니다.

13. <u>매사</u>를 긍정적으로 생각하는 것이 좋습니다.

[14~15] 다음 한자의 상대 또는 반대되는 한자를 보기 에서 골라 그 번호를 쓰세요.

보기
① 少   ② 空

14. 有   ⟷ (   )

15. 多 많을다 ⟷ (   )

[16~18] 다음 뜻에 맞는 한자어를 보기 에서 찾아 그 번호를 쓰세요.

보기
① 空間   ② 同一   ③ 計算

16. 수를 셈함.

17. 아무것도 없는 빈 곳.

18. 어떤 것과 비교하여 같음.

[19~20] 다음 한자의 진하게 표시한 획은 몇 번째 쓰는지 보기 에서 찾아 그 번호를 쓰세요.

보기
① 첫 번째   ② 두 번째   ③ 세 번째
④ 네 번째   ⑤ 다섯 번째   ⑥ 여섯 번째

19. 不

20. 同

쏙 교과서 한자 · 수의 크기 비교

百(일백 백)이나 千(일천 천) 앞에 一(한 일)부터 九(아홉 구)까지를 넣으면 각각 몇 백과 몇 천인지 나타낼 수 있어요.

그림 속 數(수)의 크기를 비교해 볼까요? 수의 크기는 <, > 등과 같은 부등호를 사용해서 나타낼 수 있는데, 수가 더 큰 쪽으로 부등호가 향하게 하면 돼요.

그럼 다음 문제를 보고, ● 안에 알맞은 부등호를 넣어 보세요.

五百 ＜ 八百   七千 ● 三千

다 풀었나요? 정답은 바로 '七千 ＞ 三千'이랍니다. 이제 한자로 쓰인 數(수)도 어려워하지 말고 자신 있게 읽고, 크기를 비교해 보아요.

7주

1일	 里 마을 리	 村 마을 촌	

2일	 洞 골 동/ 밝을 통	 邑 고을 읍	

3일	 市 저자 시	 場 마당 장	

4일	 住 살 주	 所 바 소	

5일	 農 농사 농	 家 집 가	

里
마을 리

밭(田)과 흙(土)을 합한 글자로, 밭이 있는 땅이라는 데서 **마을**을 뜻해요.

村
마을 촌

마을의 큰 나무 앞에 돌을 쌓아 올리고 소원을 비는 모습으로, **마을**을 뜻해요.

(부수) 里　　(획수) 총 7획
(쓰는 순서) ㅣ ㄇ ㅁ 日 旦 里 里

里	里	
마을 **리**	마을 **리**	마을 **리**

마을 **리**	마을 **리**	마을 **리**

*里는 단어의 첫머리에 오면 '이'로 읽어요.

(부수) 木　　(획수) 총 7획
(쓰는 순서) 一 十 オ 才 木 村 村

村	村	
마을 **촌**	마을 **촌**	마을 **촌**

마을 **촌**	마을 **촌**	마을 **촌**

어휘력 사전

三 千 里
　三: 석 삼
　千: 일천 천
● **삼천리**: 우리나라의 땅 전체를 비유적으로 이르는 말.

里 長
　長: 긴 장
● **이장**: 어떤 마을(이)의 일을 맡아보는 사람.

山 村
　山: 메 산
● **산촌**: 산속에 있는 마을.

農 村
　農: 농사 농
● **농촌**: 농사를 짓는 사람들이 주로 모여 사는 마을.

😊 다음 한자와 뜻이 같은 한자를 찾아 ○표 하세요.

里
마을 리
= ❶ 村 (　) ❷ 木 (　)

😄 다음 밑줄 친 한자의 음을 찾아 번호를 쓰세요.

| ① 이장 | ② 농촌 | ③ 산촌 | ④ 삼천리 |

❶ <u>三千里</u> 금수강산이 아름답습니다. (　)

❷ <u>山村</u>에 진달래가 활짝 피었습니다. (　)

❸ 가을이 되면 <u>農村</u>에서는 벼를 수확합니다. (　)

❹ <u>里長</u> 어른은 동네의 일을 자세히 알고 있습니다. (　)

교과서
어휘力 😈 다음 내용을 보고 빈칸에 알맞은 한자를 쓰세요.

과학 기술, 교통의 발달로 온 인류가 서로에 대한 정보를 얻거나 서로의 나라에 쉽게 오고 갈 수 있는 세상이라는 뜻으로, 지구 전체를 한 마을처럼 이르는 말이에요.

地	球
땅 지	공 구

마을 촌

洞

골 동

물이 흐르는 골짜기 주변에 사람들이 모여
산다는 데서 **골**(골짜기), **고을**(동네)을 뜻해요.

邑

고을 읍

한 사람이 성 아래에 앉아 있는 모습으로,
그곳에 살고 있다는 데서 **고을**을 뜻해요.

（부수）氵(水)　（획수）총 9획
（쓰는
순서）丶　丶　氵　汀　汀　洞　洞　洞
洞

洞	洞	
골 **동**/밝을 **통**	골 **동**/밝을 **통**	골 **동**/밝을 **통**
골 **동**/밝을 **통**	골 **동**/밝을 **통**	골 **동**/밝을 **통**

*洞은 '밝을 통'으로도 쓰여요.

（부수）邑　（획수）총 7획
（쓰는
순서）丶　口　口　무　무　吕　邑

邑	邑	
고을 **읍**	고을 **읍**	고을 **읍**
고을 **읍**	고을 **읍**	고을 **읍**

어휘力
사전

洞 口　口: 입구
● **동구**: 동네에 드나들 때 지나게 되는 지점.

洞 長　長: 긴장
● **동장**: 동의 일을 맡아보는 높은 위치에 있는 사람.

邑 內　內: 안 내
● **읍내**: 읍의 구역 안.

都 邑　都: 도읍 도
● **도읍**: 한 나라의 중앙 정부가 있는 곳.

😊 다음 한자의 음을 찾아 선으로 이으세요.

❶ 洞 •   • 읍

❷ 邑 •   • 동

😄 다음 밑줄 친 단어의 한자를 찾아 번호를 쓰세요.

> ① 洞長   ② 都邑   ③ 洞口   ④ 邑內

❶ 동구 밖에 개나리꽃이 활짝 피었습니다.   (   )

❷ 오늘은 우리 동네의 동장을 뽑는 날입니다.   (   )

❸ 임금은 한양으로 도읍을 옮기기로 결정했습니다.   (   )

❹ 할머니께서 읍내에 있는 시장에서 옥수수를 사 주셨습니다. (   )

교과서 어휘力

😆 다음 내용을 보고 ●● 에 들어갈 알맞은 한자를 빈칸에 쓰세요.

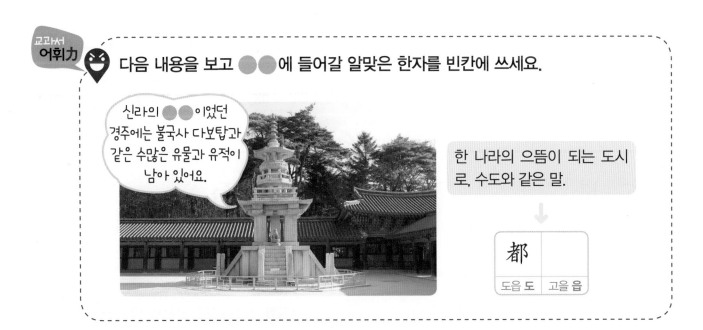

신라의 ●●이었던 경주에는 불국사 다보탑과 같은 수많은 유물과 유적이 남아 있어요.

한 나라의 으뜸이 되는 도시로, 수도와 같은 말.

↓

都	
도읍 도	고을 읍

市
저자 시

사람이 많은 시장에서 소리가 울려 퍼지는
모습으로, **저자**(시장)를 뜻해요.

場
마당 장

넓은 마당에 햇볕이 내리쬐는 모습으로,
마당을 뜻해요.

(부수) 巾　　　(획수) 총 5획
(쓰는순서) 丶 亠 亠 市 市

市	市	
저자 **시**	저자 **시**	저자 **시**
저자 **시**	저자 **시**	저자 **시**

(부수) 土　　　(획수) 총 12획
(쓰는순서) 一 十 土 圡 坦 坦 坦 坦
坦 場 場 場

場	場	
마당 **장**	마당 **장**	마당 **장**
마당 **장**	마낭 **상**	바당 **장**

어휘力
사전

市 場　場: 마당 장
● **시장**: 여러 가지 물건을 사고파는 장소.

市 民　民: 백성 민
● **시민**: 한 도시 안에 살고 있는 사람.

場 面　面: 낯 면
● **장면**: 어떤 곳에서 무슨 일이 벌어지는 모습.

工 場　工: 장인 공
● **공장**: 재료에 기술, 힘을 들여 물건을 만드는 곳.

😊 다음 한자의 훈과 음을 찾아 선으로 이으세요.

① 市 • • 저자 시 • • 場 ②

• 마당 장 •

😊 다음 밑줄 친 한자의 음을 찾아 번호를 쓰세요.

| ① 시민 | ② 시장 | ③ 공장 | ④ 장면 |

❶ 市場에서 과일을 샀습니다. ( )

❷ 이곳에는 많은 工場이 세워질 것입니다. ( )

❸ 공원에 축제를 보러 온 市民들이 가득했습니다. ( )

❹ 아침 해가 떠오르는 場面을 보니 마음이 설렙니다. ( )

교과서 어휘力 😈 다음 내용을 보고 빈칸에 알맞은 한자를 써서 시장의 종류를 알아보세요.

낱개로 물건을 팔아요.

소비자를 대상으로 적은 양의 물건을 사고파는 시장.

❶ 小 賣 □ □
작을 소 / 팔 매 / 저자 시 / 마당 장

묶음으로 물건을 팔아요.

상인 등을 대상으로 많은 양의 물건을 사고파는 시장.

❷ 都 賣 □ □
도읍 도 / 팔 매 / 저자 시 / 마당 장

住
살 주

사람(人)이 집에서 촛대를 들고 있는
모습으로, **살다**를 뜻해요.

所
바 소

지위를 나타내는 도끼를 문 옆에 둔
모습으로, **곳**이나 **바**(방법, 일)를 뜻해요.

(부수) 亻(人)　　(획수) 총 7획
(쓰는 순서) ノ 亻 亻 亻 仁 住 住

住	住	
살 주	살 주	살 주
살 주	살 주	살 주

(부수) 戸　　(획수) 총 8획
(쓰는 순서) ゝ ゝ ㇆ 戸 戸 所 所 所

所	所	
바 소	바 소	바 소
바 소	바 소	바 소

어휘力 사전

住民　　民: 백성 민
● **주민**: 일정한 지역 안에 살고 있는 사람.

住所　　所: 바 소
● **주소**: 집, 직장 등의 위치를 행정 구역으로 나타낸 이름.

所望　　望: 바랄 망
● **소망**: 어떤 일을 바람. 바라는 것.

場所　　場: 마당 장
● **장소**: 어떤 일이 일어나거나 어떤 일을 하는 곳.

😊 다음 한자의 음을 쓰세요.

❶
住

❷
所

😄 다음 밑줄 친 단어의 한자를 찾아 번호를 쓰세요.

| ① 住民 | ② 場所 | ③ 住所 | ④ 所望 |

❶ 친구와 만나기로 한 장소로 갔습니다. ( )

❷ 동네 주민들과 함께 골목을 청소했습니다. ( )

❸ 주소를 잘못 적어서 편지가 되돌아왔습니다. ( )

❹ 경수는 자신의 소망을 이루기 위해 최선을 다했습니다. ( )

교과서 어휘力 😠 다음 내용을 보고 빈칸에 알맞은 한자를 쓰세요.

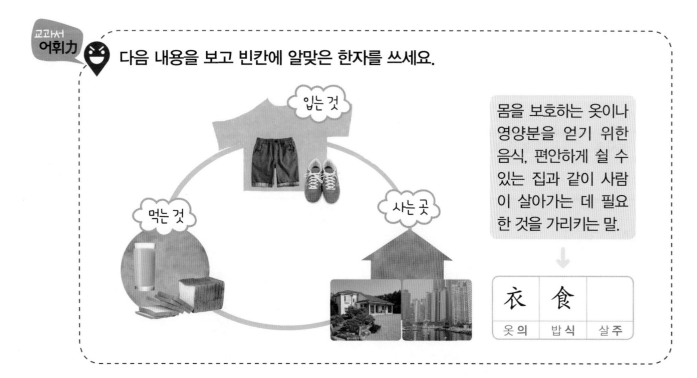

입는 것

먹는 것

사는 곳

몸을 보호하는 옷이나 영양분을 얻기 위한 음식, 편안하게 쉴 수 있는 집과 같이 사람이 살아가는 데 필요한 것을 가리키는 말.

↓

衣	食	
옷 의	밥 식	살 주

農

농사 농

농기구로 밭을 가는 모습으로,
농사를 뜻해요.

家

집 가

집 안에 돼지가 있는 모습으로, 옛날에는
돼지를 집에서 길렀다는 데서 **집**을 뜻해요.

(부수) 辰　　　(획수) 총 13획
(쓰는순서) 丶 冂 冂 由 曲 曲 曲 芦 芦 芦 農 農 農

農	農	
농사 **농**	농사 **농**	농사 **농**
농사 **농**	농사 **농**	농사 **농**

(부수) 宀　　　(획수) 총 10획
(쓰는순서) 丶 丶 宀 宀 宀 宇 宇 字 家 家

家	家	
집 가	집 가	집 가
집 가	집 가	집 가

어휘力
사전

農 事　　事: 일 사
● **농사**: 곡식이나 채소 등을 심고 기르고 거두는 일.

農 夫　　夫: 지아비 부
● **농부**: 농사짓는 일을 직업으로 하는 사람.

家 長　　長: 긴 장
● **가장**: 한 가족을 대표하고 이끌어 나가는 사람.

外 家　　外: 바깥 외
● **외가**: 어머니가 결혼하기 전에 살던 곳. 어머니의 친정.

다음 한자의 훈을 찾아 선으로 이으세요.

❶ 農 •

❷ 家 •

• 집

• 농사

 다음 밑줄 친 한자의 음을 찾아 번호를 쓰세요.

① 외가　　② 농사　　③ 농부　　④ 가장

❶ 올해 사과 農事가 잘 되었습니다.　　　　　　（　　）

❷ 農夫는 봄에 밭을 갈고 씨를 뿌렸습니다.　　　（　　）

❸ 여름방학이 되면 기차를 타고 外家에 갑니다.　（　　）

❹ 부모님이 돌아가시고 형이 家長 역할을 하였습니다.　（　　）

교과서 어휘力 다음 빈칸에 알맞은 한자를 써서 가족의 형태를 알아보세요.

옛날의 가족 형태

부부와 자녀, 조부모 등이 함께 사는 가족.

❶
擴	大		族
넓힐 확	큰 대	집 가	겨레 족

오늘날의 가족 형태

부부와 결혼하지 않은 자녀로 이루어진 가족.

❷
核		族
씨 핵	집 가	겨레 족

다음 한자의 훈과 음을 찾아 선으로 이으세요.

1 里 •

2 邑 •

3 場 •

4 洞 •

5 所 •

• 골 동/밝을 통

• 마당 장

• 고을 읍

• 바 소

• 마을 리

다음 파란색으로 쓴 한자의 훈과 음을 쓰세요.

1 우리 家족은 화목합니다.   훈 _____   음 _____

2 도市에는 사람이 많습니다.   훈 _____   음 _____

3 편지 봉투에 住소를 썼습니다.   훈 _____   음 _____

4 큰비로 農사가 잘 안 되었습니다.   훈 _____   음 _____

5 가족과 강村으로 여행을 갔습니다.   훈 _____   음 _____

[1~4] 다음 밑줄 친 한자어의 음을 쓰세요.

> 漢字 → 한자

1. 어머니와 함께 <u>邑内</u> 구경을 했습니다.

2. <u>洞口</u> 밖에서 푸른 바다를 보았습니다.

3. 자동차 <u>工場</u>에 현장 체험학습을 갔습니다.

4. <u>農夫</u>들이 논에서 벼를 추수하고 있습니다.

[5~8] 다음 한자의 훈과 음을 쓰세요.

> 字 → 글자 자

5. 家

6. 村

7. 場

8. 邑

[9~13] 다음 밑줄 친 한자어를 보기 에서 골라 그 번호를 쓰세요.

> 보기
> ① 場所　　② 農村　　③ 市場
> ④ 住所　　⑤ 里長

9. 마을 <u>이장</u>님께 인사를 드렸습니다.

10. <u>시장</u>에 가서 할머니의 옷을 샀습니다.

11. 이사를 가면서 집 <u>주소</u>가 바뀌었습니다.

12. <u>농촌</u>에 사는 사람이 점점 줄고 있습니다.

13. 공원은 동생이 가장 좋아하는 <u>장소</u>입니다.

[14~18] 다음 뜻에 맞는 한자어를 보기 에서 찾아 그 번호를 쓰세요.

> 보기
> ① 家長　　② 所望　　③ 市民
> ④ 外家　　⑤ 三千里

14. 어떤 일을 바람.

15. 한 도시 안에 살고 있는 사람.

16. 우리나라의 땅 전체를 비유적으로 이르는 말.

17. 한 가정, 가족을 대표하고 이끌어 나가는 사람.

18. 어머니가 결혼하기 전에 살던 곳. 어머니의 친정.

[19~20] 다음 한자의 진하게 표시한 획은 몇 번째 쓰는지 보기 에서 찾아 그 번호를 쓰세요.

> 보기
> ① 첫 번째　② 두 번째　③ 세 번째
> ④ 네 번째　⑤ 다섯 번째　⑥ 여섯 번째
> ⑦ 일곱 번째　⑧ 여덟 번째

19. 市

20. 所

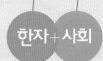
쏙 교과서 한자 · 우리나라의 촌락

村落(촌락)은 農村(농촌), 漁村(어촌), 山地村(산지촌)처럼 자연환경을 주로 이용하여 살아가는 지역이에요. 촌락의 종류에는 무엇이 있는지, 각 촌락에는 어떤 특징이 있는지 살펴보아요.

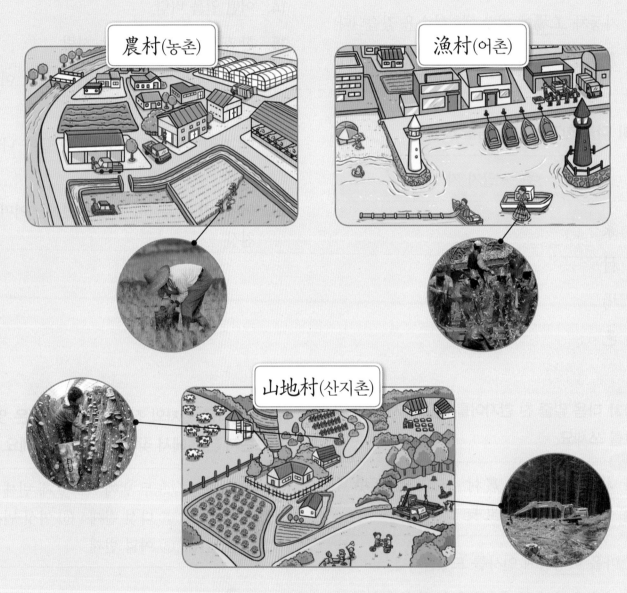

農村(농촌)

漁村(어촌)

山地村(산지촌)

농촌에서는 주로 논과 밭에서 곡식이나 채소를 기르고, 어촌에서는 바다에서 물고기를 잡거나 길러요. 산지촌에서는 산에서 나무를 가꾸어 베거나 산나물을 캐고, 버섯을 재배하는 일을 하지요. 이처럼 촌락은 자연환경에 따라 모습과 특징이 각각 다르답니다.

8주

1일
 文 글월 문

字 글자 자

2일
 問 물을 문

答 대답 답

3일
語 말씀 어

話 말씀 화

4일
記 기록할 기

 紙 종이 지

5일
 漢 한수/ 한나라 한

 歌 노래 가

文
글월 문

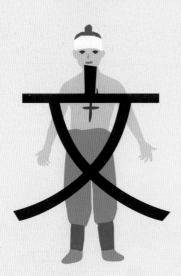

양팔을 벌린 사람 몸에 글, 그림이 새겨져 있는
모습으로, **글월**(글이나 문장)을 뜻해요.

字
글자 자

집에서 아이가 글자를 배우는 모습으로,
글자(문자)를 뜻해요.

(부수) 文   (획수) 총 4획
(쓰는 순서) `丶 一 ナ 文`

文	文	
글월 문	글월 문	글월 문
글월 문	글월 문	글월 문

(부수) 子   (획수) 총 6획
(쓰는 순서) `丶 丷 宀 宀 字 字`

字	字	
글자 자	글자 자	글자 자
글자 자	글자 자	글자 자

어휘力 사전

文 學   學: 배울 학
● **문학**: 사람의 생각이나 감정을 글로 나타낸 예술 작품.

文 物   物: 물건 물
● **문물**: 종교, 예술처럼 사람이 만들어 낸 모든 문화적 결과.

文 字   文: 글월 문
● **문자**: 말의 소리나 뜻을 볼 수 있도록 적기 위한 기호.

字 母   母: 어미 모
● **자모**: 'ㄱ, ㄴ, ㅏ'처럼 글자를 이루는 하나하나의 낱자.

😊 다음 한자의 훈과 음을 찾아 선으로 이으세요.

① 文 • • 글월 문 • ② 字

• 글자 자 •

😊 다음 밑줄 친 한자의 음을 찾아 번호를 쓰세요.

① 문학　　②자모　　③ 문물　　④ 문자

❶ 우리나라는 외국의 다양한 **文物**을 받아들였습니다.　　(　　)

❷ 비석에 옛사람들이 쓰던 **文字**가 새겨져 있었습니다.　　(　　)

❸ 우리는 **文學**을 통해 다양한 인생을 만날 수 있습니다.　　(　　)

❹ 완전한 글자를 이루는 하나하나의 낱자를 **字母**라고 합니다.　(　　)

교과서 어휘力 😈 다음 빈칸에 알맞은 한자를 써서 어떤 책에 대한 설명인지 알아보세요.

옛날에 서당에서 아이들이 가장 먼저 배웠던 책의 이름이에요. 하늘 천(天), 땅 지(地), 검을 현(玄), 누를 황(黃) 등 1,000자의 한자로 되어 있어요.

千		
일천 천	글자 자	글월 문

물을 문

문(門) 앞에서 입(口)으로 소리 내어
묻는다는 데서, **묻다**를 뜻해요.

대답 답

대나무(竹)에 물음에 대한 답을 써서
준다는 데서, **대답**을 뜻해요.

(부수) 口　　　(획수) 총 11획
(쓰는 순서) 丨 冂 冂 冃 門 門 門 門 門 問 問

問	問	
물을 문	물을 문	물을 문
물을 문	물을 문	물을 문

(부수) 竹　　　(획수) 총 12획
(쓰는 순서) 丿 𠂉 𠂉 𥫗 𥫗 𥫗 𥫗 笅 笅 笭 答 答

答	答	
대답 답	대답 답	대답 답
대답 답	대답 답	대답 답

어휘力 사전

問 安　安: 편안 안
● **문안**: 웃어른께 안녕하신지 묻고 인사를 드림.

問 答　答: 대답 답
● **문답**: 물음과 대답.

正 答　正: 바를 정
● **정답**: 옳은 답. 바른 답.

答 紙　紙: 종이 지
● **답지**: 문제에 대한 답을 쓴 종이.

다음 한자와 음이 같은 한자를 찾아 ◯표 하세요.

文					
글월 문	=	❶ 問	❷ 答		

(　　　)　　　(　　　)

다음 밑줄 친 단어의 한자를 찾아 번호를 쓰세요.

① 正答　　　② 答紙　　　③ 問安　　　④ 問答

❶ 할아버지께 <u>문안</u> 인사를 드립니다.　　　　　　　　　　(　　　)

❷ 문제집을 푼 뒤 <u>답지</u>를 보고 채점을 했습니다.　　　　(　　　)

❸ 문제를 풀고 또 풀어도 <u>정답</u>을 알 수가 없습니다.　　　(　　　)

❹ 면담하며 나눈 <u>문답</u> 내용을 자세하게 기록했습니다.　　(　　　)

교과서 어휘力 다음 밑줄 친 내용을 생각하며 빈칸에 알맞은 한자를 써서 사자성어를 완성하세요.

동쪽을 묻는데 서쪽을 대답한다는 뜻으로, 질문에 맞지 않는 엉뚱한 대답을 가리키는 말이에요.

❶ 東		西	
동녘 동	물을 문	서녘 서	대답 답

자기 스스로 묻고 자기 스스로 대답하는 것을 가리키는 말이에요.

❷ 自		自	
스스로 자	물을 문	스스로 자	대답 답

語
말씀 어

자신(吾)의 생각을 말한다(言)는 데서,
말씀을 뜻해요.

話
말씀 화

혀(舌)를 사용해 말한다(言)는 데서,
말씀을 뜻해요.

（부수）言　　　（획수）총 14획
（쓰는
순서）丶　亠　二　三　言　言　言　言
訂　語　語　語　語　語

語	語	
말씀 어	말씀 어	말씀 어
말씀 어	말씀 어	말씀 어

（부수）言　　　（획수）총 13획
（쓰는
순서）丶　亠　二　三　言　言　言　言
訐　訐　訐　話　話

話	話	
말씀 화	말씀 화	말씀 화
말씀 화	말씀 화	말씀 화

어휘力
사전

國 語　國: 나라 국
●**국어**: 한 나라의 국민이 쓰는 말. 우리나라의 언어.

語 學　學: 배울 학
●**어학**: 어떤 나라의 말과 글을 연구하는 학문.

手 話　手: 손 수
●**수화**: 청각에 장애가 있는 사람들이 손으로 주고받는 말.

電 話　電: 번개 전
●**전화**: 전화기를 사용해 말을 주고받는 것.

다음 한자의 음을 찾아 선으로 이으세요.

다음 밑줄 친 한자의 음을 찾아 번호를 쓰세요.

① 어학   ② 국어   ③ 수화   ④ 전화

❶ 國語를 사랑하는 마음을 가집시다.   (   )

❷ 현우는 외국에 나가기 위해 語學 공부를 열심히 했습니다. (   )

❸ 친구에게 電話를 걸어 준비물이 무엇인지 물어보았습니다. (   )

❹ 소리를 듣지 못하는 친구와 대화하려고 手話를 배웠습니다. (   )

 다음 빈칸에 알맞은 한자를 써서 친구들이 사용한 언어를 알아보세요.

영국, 미국, 캐나다 등의 나라에서 공통으로 사용하는 언어로, 세계 여러 나라에서 사용하는 국제어의 역할을 해요.

❶ | 英 | |
|---|---|
| 꽃부리 영 | 말씀 어 |

중국 인구의 대다수를 차지하는 한민족의 언어로, 세계 인구의 약 1/5이 사용해요.

❷ | 中 | 國 | |
|---|---|---|
| 가운데 중 | 나라 국 | 말씀 어 |

記
기록할 기

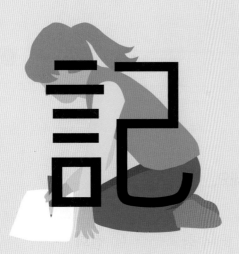

말(言)을 스스로(己) 기억하여 쓴다는 데서
기록하다를 뜻해요.

紙
종이 지

나무에서 나온 실(糸) 모양의 재료로
종이를 만든다는 데서 **종이**를 뜻해요.

（부수）言　　（획수）총 10획
（쓰는순서）丶　二　言　言　言　言　言　記　記　記

記	記	
기록할 **기**	기록할 **기**	기록할 **기**
기록할 **기**	기록할 **기**	기록할 **기**

（부수）糸　　（획수）총 10획
（쓰는순서）幺　幺　幺　幺　糸　糸　糸　糸　紙　紙

紙	紙	
종이 **지**	종이 **지**	종이 **지**
종이 **지**	종이 **시**	종이 **지**

어휘力
사전

記 事　事: 일 사
● **기사**: 신문이나 잡지에서 어떠한 사실에 대해 알리는 글.

日 記　日: 날 일
● **일기**: 날마다 그날 자기가 겪은 일과 감상을 적은 글.

色 紙　色: 빛 색
● **색지**: 여러 가지 색깔로 물들인 종이.

便 紙　便: 편할 편
● **편지**: 누군가에게 하고 싶은 말을 적어 보내는 글.

😊 다음 한자의 훈과 음을 쓰세요.

① 記

② 紙

😄 다음 밑줄 친 단어의 한자를 찾아 번호를 쓰세요.

① 便紙   ② 記事   ③ 日記   ④ 色紙

① 어버이날에 부모님께 <u>편지</u>를 썼습니다.   (   )

② 신문에 우리 학교에 대한 <u>기사</u>가 났습니다.   (   )

③ 민우는 <u>색지</u>로 방을 예쁘게 꾸며 놓았습니다.   (   )

④ 민정이는 놀이동산에 다녀온 일을 <u>일기</u>로 썼습니다.   (   )

교과서 어휘力 😈 다음 빈칸에 공통으로 들어갈 한자를 써서 글의 종류가 무엇인지 알아보세요.

육하원칙에 따라 기사를 써요.

월천 초등학교 신문   2000년 ○○월 ○○일

모두가 함께하는 달여울 축제

지난 달 25일 월천 초등학교 운동장에서 달여울 축제가 열렸다. 달여울 축제는 학생들과 선생님, 학부모가 모두 참여하는 행사로, 매년 가을에 열린다.

올해에는 나눔 마당 행사가 추가되어 동네 주민들도 함께할 수 있도록 꾸며졌다.

인물의 일생을 사실적으로 써요.

바보 의사 장기려

사건이나 사실을 빠르고 정확하게 전달하기 위해 쓴 글.

어떤 인물의 삶과 업적, 언행 등을 사실을 바탕으로 기록한 글.

①

	事	文
기록할 기	일 사	글월 문

②

傳		文
전할 전	기록할 기	글월 문

漢
한나라 한

중국의 한수라는 지역에 세워진 나라인

한나라를 뜻해요.

歌
노래 가

입을 벌려 큰 소리로 노래를 부르는

모습으로, **노래**를 뜻해요.

(부수) 氵(水)　　(획수) 총 14획

(쓰는 순서) 丶 丶 氵 氵 沪 沪 洴 洴 洴 洴 渄 渖 漢 漢

漢	漢	
한수/한나라 **한**	한수/한나라 **한**	한수/한나라 **한**
한수/한나라 **한**	한수/한나라 **한**	한수/한나라 **한**

*漢은 '한수 한'으로도 쓰여요.

(부수) 欠　　(획수) 총 14획

(쓰는 순서) 一 厂 厂 可 可 可 哥 哥 哥 哥 歌 歌

歌	歌	
노래 **가**	노래 **가**	노래 **가**
노래 **가**	노래 **가**	노래 **가**

어휘力 사전

漢 文　　文: 글월 문

● **한문**: 한자로 쓴 글.

漢 江　　江: 강 강

● **한강**: 우리나라의 중부 지역을 흐르는 강.

 　　校: 학교 교

● **교가**: 학교를 상징하는 노래.

 　　手: 손 수

● **가수**: 노래 부르는 것이 직업인 사람.

😊 다음 한자의 훈으로 알맞은 것에 ○표 하세요.

❶ 漢
한나라 당나라

❷ 歌
춤 노래

😊 다음 밑줄 친 한자의 음을 찾아 선으로 이으세요.

❶ 주말에 漢江에서 유람선을 탔습니다. •   • 한강

❷ 학생들이 모두 모여 校歌를 불렀습니다. •   • 한문

❸ 옛날에는 서당에서 漢文을 가르쳤습니다. •   • 교가

❹ 텔레비전에 제가 좋아하는 歌手가 나옵니다. •   • 가수

교과서 어휘力

😈 다음 내용을 보고 빈칸에 알맞은 한자를 쓰세요.

나라를 사랑하는 마음을 가지고, 바른 자세로 불러요.

우리나라의 국가로, 나라를 사랑하는 정신으로 온 국민이 부르는 노래.

↓

愛	國	
사랑 애	나라 국	노래 가

📍 다음 한자의 훈과 음을 찾아 선으로 이으세요.

1 文 •

2 問 •

3 語 •

4 紙 •

5 漢 •

• 말씀 어

• 글월 문

• 종이 지

• 물을 문

• 한수 / 한나라 한

📍 다음 파란색으로 쓴 한자의 훈과 음을 쓰세요.

1 신문 記사를 읽습니다.　　　　　훈 _____ 음 _____

2 저의 꿈은 歌수입니다.　　　　　훈 _____ 음 _____

3 전話로 안부를 전합니다.　　　　훈 _____ 음 _____

4 한글은 과학적인 문字입니다.　　훈 _____ 음 _____

5 문제의 정答을 모두 맞혔습니다.　훈 _____ 음 _____

[1~4] 다음 밑줄 친 한자어의 음을 쓰세요.

漢字 → 한자

1. <u>手話</u>로 대화를 합니다.

2. 채우는 <u>語學</u> 실력이 뛰어납니다.

3. 아버지께 <u>問安</u> 인사를 드립니다.

4. <u>色紙</u>를 접어 종이배를 만들었습니다.

[5~8] 다음 한자의 훈과 음을 쓰세요.

字 → 글자 자

5. 答

6. 問

7. 紙

8. 話

[9~13] 다음 밑줄 친 한자어를 보기 에서 골라 그 번호를 쓰세요.

보기
① 記事   ② 電話   ③ 文人
④ 日記   ⑤ 國歌

9. 신문 <u>기사</u>를 꼼꼼하게 읽었습니다.

10. 휴대 <u>전화</u>를 잃어버려서 속상합니다.

11. 바르게 서서 우리나라 <u>국가</u>를 부릅니다.

12. 하루 중 기억에 남는 일을 <u>일기</u>에 씁니다.

13. 예린이의 꿈은 시를 쓰는 <u>문인</u>이 되는 것입니다.

[14~15] 다음 한자의 상대 또는 반대되는 한자를 보기 에서 골라 그 번호를 쓰세요.

보기
① 心   ② 答

14. 問   ⟷ (   )

15. 物 물건물 ⟷ (   )

[16~18] 다음 뜻에 맞는 한자어를 보기 에서 찾아 그 번호를 쓰세요.

보기
① 字母   ② 漢文   ③ 正答

16. 바른 답.

17. 한자로 쓴 글.

18. 글자를 이루는 하나하나의 낱자.

[19~20] 다음 한자의 진하게 표시한 획은 몇 번째 쓰는지 보기 에서 찾아 그 번호를 쓰세요.

보기
① 첫 번째   ② 두 번째   ③ 세 번째
④ 네 번째   ⑤ 다섯 번째 ⑥ 여섯 번째

19. 文

20. 字

우리나라 고유의 종이, 한지

韓紙(한지)는 우리나라 고유의 종이예요. 닥나무의 껍질을 삶은 다음 곱게 펴서 말리면 한지가 완성되는데, 완성된 한지는 부드러우면서도 매우 질겨요. 서양에서 만든 洋紙(양지)는 200년 정도 보존할 수 있는 데 비해, 한지는 1000년 이상 보존할 수 있을 정도랍니다.

경주 불국사 석가탑에서 발견된 '무구 정광 대다라니경'을 보면 한지가 얼마나 우수한지 알 수 있어요. 무구 정광 대다라니경은 만들어진 지 약 1200년이 지났지만 지금도 글씨를 읽을 수 있을 정도로 튼튼하고 질기답니다.

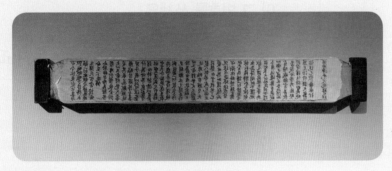

▶ 세계에서 가장 오래된 목판 인쇄물, 무구 정광 대다라니경

시간이 흐르면서 한지의 사용은 줄고 있지만, 오늘날 한지는 전구의 불빛을 은은하게 비춰 주는 전등갓이나 닥종이 인형 등 다양한 전통 공예품으로 다시 태어나고 있어요. 현대 생활에 맞추어 만들어진 새로운 한지 공예품이지요.

▲ 한지를 이용한 다양한 공예품

여러분도 한지를 이용해서 예쁜 생활용품을 직접 만들어 보세요. 색종이와 다른 한지만의 은은한 아름다움을 느낄 수 있을 거예요!

9주

1일	 工 장인 공	 立 설 립
2일	 車 수레 거/차	 來 올 래
3일	旗 기 기	 物 물건 물
4일	 方 모 방	 事 일 사
5일	 電 번개 전	道 길 도

工

장인 공

땅을 다질 때 사용하던 도구의 모양으로,
도구를 잘 다루는 **장인**을 뜻해요.

立

설 립

땅 위에 서 있는 사람의 모습으로,
서다를 뜻해요.

(부수) 工　　　(획수) 총 3획
(쓰는 순서) 一 丁 工

工	工	
장인 **공**	장인 **공**	장인 **공**
장인 **공**	장인 **공**	장인 **공**

(부수) 立　　　(획수) 총 5획
(쓰는 순서) 丶 二 六 立 立

立	立	
설 **립**	설 **립**	설 **립**
설 **립**	설 **립**	설 **립**

*立은 단어의 첫머리에 오면 '입'으로 읽어요.

어휘力
사전

木 工　木: 나무 목

● **목공**: 나무로 가구와 같은 물건을 만드는 일을 하는 사람.

人 工　人: 사람 인

● **인공**: 자연적인 것이 아니라 사람의 힘으로 만들어 낸 것.

國 立　國: 나라 국

● **국립**: 학교나 기관을 나라에서 세우고 관리하는 것.

自 立　自: 스스로 자

● **자립**: 남의 도움을 받지 않고 자기 스스로 섬.

😊 다음 한자의 훈과 음을 찾아 선으로 이으세요.

❶ 工 ・ ・ 설 립 ・ ・ 立 ❷

・ 장인 공 ・

😊 다음 밑줄 친 단어의 한자를 찾아 번호를 쓰세요.

① 木工 　　② 人工 　　③ 國立 　　④ 自立

❶ <u>국립</u> 도서관에 가서 책을 읽었습니다. 　　　　(　　)

❷ 성인이 되면 경제적으로 <u>자립</u>해야 합니다. 　　　(　　)

❸ <u>목공</u>은 나무로 책상과 의자를 만들었습니다. 　　(　　)

❹ 우리 마을에는 <u>인공</u>으로 만든 연못이 있습니다. (　　)

교과서
어휘力 😈 다음 빈칸에 알맞은 한자를 써서 세 인물의 공통점을 완성하세요.

▲ 유관순

▲ 안창호

▲ 윤봉길

⬇

유관순, 안창호, 윤봉길은 일제로부터 우리나라를 지키기 위해 노력한

獨		運	動	家	예요.
홀로 독	설 립	옮길 운	움직일 동	집 가	

車
수레 거

바퀴를 달아서 굴러가게 만든 기구의
모습으로, **수레**를 뜻해요.

來
올 래

보리의 모양으로, 보리와 같은 곡식은
하늘로부터 온다는 데서 **오다**를 뜻해요.

（부수）車　　（획수）총 7획
（쓰는 순서）一 丆 冃 后 百 亘 車

車	車	
수레 **거/차**	수레 **거/차**	수레 **거/차**
수레 **거/차**	수레 **거/차**	수레 **거/차**

*車는 '수레 차'로도 쓰여요.

（부수）人　　（획수）총 8획
（쓰는 순서）一 厂 刀 双 쩄 來 來 來

來	來	
올 래	올 래	올 래
올 래	올 래	올 래

*來는 단어의 첫머리에 오면 '내'로 읽어요.

어휘力 사전

自 轉 車　　自: 스스로 자
　　　　　　轉: 구를 전
● **자전거**: 발로 발판을 밟아 바퀴를 굴려 움직이는 탈것.

人 力 車　　人: 사람 인
　　　　　　力: 힘 력
● **인력거**: 사람이 끄는, 바퀴가 두 개 달린 수레.

來 日　　日: 날 일
● **내일**: 오늘의 다음 날.

來 年　　年: 해 년
● **내년**: 올해의 바로 다음 해.

😊 다음 한자의 훈과 음을 쓰세요.

❶
車

❷
來

😊 다음 밑줄 친 한자의 음을 찾아 선으로 이으세요.

❶ 저는 來年에 2학년이 됩니다. ・ ・ 내년

❷ 來日은 소풍을 가는 날입니다. ・ ・ 자전거

❸ 自轉車 바퀴에 바람을 넣었습니다. ・ ・ 내일

❹ 옛날 사람들은 人力車를 타고 이동했습니다. ・ ・ 인력거

교과서
어휘力 😈 다음 빈칸에 알맞은 한자를 써서 이동 수단의 이름을 완성하세요.

나는 연료의 힘으로 바퀴를 굴려서 도로 위를 달리는 ●●●야.

❶
自	動	
스스로 자	움직일 동	수레 차

나는 연료의 힘으로 바퀴를 굴려서 철도 위를 달리는 ●●야.

❷
汽	
김 기	수레 차

旗
기 기

깃발이 나부끼는 모습으로, 어떤 표시나
상징을 나타내는 **깃발**을 뜻해요.

物
물건 물

소(牛)는 없어서는 안될 가장 중요한
물건이라는 데서 **물건**을 뜻해요.

(부수) 方　　(획수) 총 14획

(쓰는 순서) ` 亠 方 方 方 方 方 放
放 放 旗 旗 旗 旗

기 **기**	기 **기**	기 **기**
기 **기**	기 **기**	기 **기**

(부수) 牛　　(획수) 총 8획

(쓰는 순서) ` ン 二 牛 牛 牛 物 物 物

물건 **물**	물건 **물**	물건 **물**
물건 **물**	불건 **물**	물건 **물**

어휘力 사전

國 旗　國: 나라 국
● **국기**: 한 나라를 상징하는 깃발.

白 旗　白: 흰 백
● **백기**: 흰 깃발. 적에게 항복의 뜻을 표시하는 깃발.

事 物　事: 일 사
● **사물**: 직접 보거나 만질 수 있는 세상의 온갖 물건.

人 物　人: 사람 인
● **인물**: 사람. 이야기나 연극에 나오는 사람.

다음 한자와 뜻이 반대되는 한자를 찾아 ◯표 하세요.

心
마음 심

↔ ❶ 物 ❷ 旗

( ) ( )

😀 다음 밑줄 친 단어의 한자를 찾아 선으로 이으세요.

❶ 적들은 궁지에 몰려 <u>백기</u>를 들었습니다. • • 國旗

❷ 이 이야기에는 여러 <u>인물</u>이 등장합니다. • • 人物

❸ 미술 시간에 <u>사물</u>을 보고 그림을 그렸습니다. • • 事物

❹ 나라마다 그 나라를 상징하는 <u>국기</u>가 있습니다. • • 白旗

 다음 빈칸에 공통으로 들어갈 한자를 써서 생물의 종류를 완성하세요.

植
심을 식

動
움직일 동 | 물건 물

개나 고양이처럼 스스로 먹이를 먹고 자유롭게 몸을 움직일 수 있는 생물.

풀이나 나무처럼 스스로의 힘으로 움직일 수 없는 생물.

方
모 방

소가 쟁기를 끌고 한 방향으로 가며 네모난 밭을 간다는 데서 **모**(네모), **방향**을 뜻해요.

（부수）方　　　　（획수）총 4획
（쓰는 순서）丶　一　亍　方

方	方	
모 방	모 방	모 방

모 방	모 방	모 방

事
일 사

정부의 관리가 제사를 지내거나 점을 치기 위해 도구를 든 모습으로, **일**이나 **직업**을 뜻해요.

（부수）亅　　　　（획수）총 8획
（쓰는 순서）一　亅　亖　三　三　写　写　事

事	事	
일 사	일 사	일 사

일 사	일 사	일 사

어휘力 사전

四 方　四: 넉 사
● **사방**: 동쪽, 서쪽, 남쪽, 북쪽의 네 방위. 주위.

一 方　一: 한 일
● **일방**: 어느 한쪽. 어느 한편.

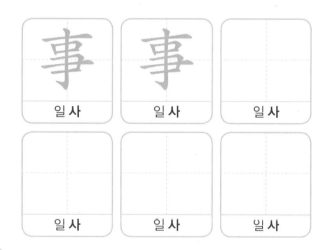

工 事　工: 장인 공
● **공사**: 시설이나 건물 등을 새로 짓거나 고치는 것.

事 前　前: 앞 전
● **사전**: 어떤 일이 있기 전.

😊 다음 한자의 훈과 음을 찾아 선으로 이으세요.

❶ 方 •   • 모 방 •   • 事 ❷

• 일 사 •

😄 다음 밑줄 친 한자의 음을 찾아 번호를 쓰세요.

| ① 공사 | ② 일방 | ③ 사전 | ④ 사방 |

❶ 이 길은 <u>一方</u>으로만 지나갈 수 있습니다.   (   )

❷ 그 집은 <u>四方</u>이 산으로 둘러싸여 있습니다.   (   )

❸ 도로 <u>工事</u>가 시작되어 소음이 발생했습니다.   (   )

❹ 준비 운동을 하면 부상을 <u>事前</u>에 막을 수 있습니다.   (   )

교과서 어휘力 😈 다음 빈칸에 알맞은 한자를 써서 지도를 볼 때 살펴보아야 하는 것을 알아보세요.

지도를 보고 위치를 정확히 찾으려면 먼저 방위를 파악해야 해.

지도에서 동서남북의 방위를 알려 주는 표로 이것이 없으면 지도의 위쪽이 북쪽임.

↓

| 位 | 表 |
| 모 방 | 자리 위 | 겉 표 |

電
번개 전

비구름 사이로 번갯불이 내리치는 모습으로,
번개, **전기**를 뜻해요.

道
길 도

사람이 큰 길을 걸어가는 모습으로,
길을 뜻해요.

(부수) 雨　　(획수) 총 13획

(쓰는순서) 一 「 戶 戶 百 币 雨 雨 雨 雷 雷 雷 電

電	電	
번개 **전**	번개 **전**	번개 **전**
번개 **전**	번개 **전**	번개 **전**

(부수) 辶(辵)　　(획수) 총 13획

(쓰는순서) 丶 丷 丷 丷 首 首 首 首 首 首 道 道

道	道	
길 **도**	길 **도**	길 **도**
길 **도**	길 **도**	길 **도**

어휘力
사전

電 氣 　氣: 기운 기
● **전기**: 물질 안에 있는 전자의 움직임으로 생기는 에너지.

家 電 　家: 집 가
● **가전**: 가정에서 사용하는 전기 기기 제품.

人 道 　人: 사람 인
● **인도**: 사람이 다닐 수 있게 만든 길.

孝 道 　孝: 효도 효
● **효도**: 자식이 부모를 정성스럽게 섬기는 도리.

다음 사진과 관련 있는 한자에 ◯표 하세요.

❶  電 / 道

❷  電 / 道

 다음 밑줄 친 단어의 한자를 찾아 번호를 쓰세요.

| ① 人道 | ② 孝道 | ③ 家電 | ④ 電氣 |

❶ 부모님께 <u>효도</u>를 하려고 노력해야 합니다. ( )

❷ 사람은 <u>인도</u>로 다니고, 차는 차도로 다닙니다. ( )

❸ 갑자기 <u>전기</u>가 나가서 집 안이 어두컴컴해졌습니다. ( )

❹ <u>가전</u> 제품을 사용하지 않을 때에는 전원을 꺼야 합니다. ( )

교과서 어휘力 다음 물건들을 사용하려면 무엇이 필요한지 빈칸에 알맞은 한자를 써서 알아 보세요.

빛을 내어 밝게 만드는 전구.

옷의 주름을 펴는 다리미.

옷을 깨끗하게 해 주는 세탁기.

음식을 신선하게 보관하는 냉장고.

물질 안에 있는 전자 또는 이온의 움직임에 의해 생기는 에너지의 한 형태. → ☐ 氣

번개 전 | 기운 기

다음 한자의 훈과 음을 찾아 선으로 이으세요.

1 工 •

2 來 •

3 旗 •

4 道 •

5 車 •

• 기 기

• 올 래

• 길 도

• 장인 공

• 수레 거/차

다음 파란색으로 쓴 한자의 훈과 음을 쓰세요.

1 사方이 깜깜해졌습니다. 훈 _____ 음 _____

2 국立 미술관에 갔습니다. 훈 _____ 음 _____

3 지역 행事에 참가했습니다. 훈 _____ 음 _____

4 동식物을 보호해야 합니다. 훈 _____ 음 _____

5 이곳은 電기가 들어오지 않습니다. 훈 _____ 음 _____

[1~4] 다음 밑줄 친 한자어의 음을 쓰세요.

漢字 → 한자

1. 우리나라의 <u>國旗</u>는 태극기입니다.

2. 그 연못은 <u>人工</u>으로 만든 것입니다.

3. 사용하지 않는 <u>家電</u>의 전원을 껐습니다.

4. 화가는 <u>事物</u>을 눈에 보이듯이 그렸습니다.

[5~8] 다음 한자의 훈과 음을 쓰세요.

字 → 글자 자

5. 工

6. 道

7. 來

8. 旗

[9~13] 다음 밑줄 친 한자어를 보기 에서 골라 그 번호를 쓰세요.

보기
① 孝道   ② 自立   ③ 來年
④ 人物   ⑤ 工事

9. 부모님의 도움 없이 <u>자립</u>했습니다.

10. 이 연극은 <u>인물</u>이 한 명 등장합니다.

11. 마을에서 <u>효도</u> 잔치가 벌어졌습니다.

12. <u>내년</u>에는 행사에 꼭 참여하고 싶습니다.

13. <u>공사</u> 중에 통행에 불편을 드려 죄송합니다.

[14~15] 다음 한자의 상대 또는 반대되는 한자를 보기 에서 골라 그 번호를 쓰세요.

보기
① 立   ② 來

14. 往갈왕 ⟷ (   )

15. 坐앉을좌 ⟷ (   )

[16~18] 다음 뜻에 맞는 한자어를 보기 에서 찾아 그 번호를 쓰세요.

보기
① 電氣   ② 來日   ③ 人力車

16. 오늘의 다음 날.

17. 사람이 끄는, 바퀴가 두 개 달린 수레.

18. 물질 안에 있는 전자의 움직임으로 생기는 에너지.

[19~20] 다음 한자의 진하게 표시한 획은 몇 번째 쓰는지 보기 에서 찾아 그 번호를 쓰세요.

보기
① 첫 번째   ② 두 번째   ③ 세 번째
④ 네 번째   ⑤ 다섯 번째   ⑥ 여섯 번째
⑦ 일곱 번째   ⑧ 여덟 번째

19. 方

20. 事

쏙 교과서 한자 · 옛날과 오늘날의 교통수단

自動車(자동차)나 汽車(기차)는 사람이 어딘가로 이동할 때나 물건을 옮길 때 사용하는 방법이나 도구인 交通手段(교통수단)이에요. 옛날과 오늘날의 교통수단을 비교해 보고 어떻게 달라졌는지 알아보아요.

옛날 동물, 사람, 자연의 힘을 이용해서 움직이는 교통수단을 사용했어요.

| 말 | 가마 | 소달구지 | 뗏목 |

오늘날 연료를 사용해서 움직이는 기계를 교통수단으로 사용해요.

| 기차 | 배 | 자동차 | 비행기 |

이렇게 비교해 보니 교통수단이 얼마나 많이 발달했는지 알겠지요? 우리는 교통수단의 발달로 옛날보다 빠르고 안전하게 가고 싶은 곳에 갈 수 있고, 많은 양의 짐도 쉽고 편하게 옮길 수 있게 되었어요.

10주

1일

登
오를 등

動
움직일 동

2일

植
심을 식

食
밥/먹을 식

3일

活
살 활

休
쉴 휴

4일

重
무거울 중

便
편할 편
/똥오줌 변

5일

直
곧을 직

全
온전 전

登
오를 등

두 발로 제단 위로 올라가는 모습으로,
오르다를 뜻해요.

動
움직일 동

무거운(重) 물건을 옮기기 위해 힘(力)을
쓰는 모습으로, **움직이다**를 뜻해요.

（부수）癶　　　　（획수）총 12획
（쓰는
순서）ㄱ ㄱ ㄱ ㄹ ㄹ ㅆ ㅆ ㅆ 癶
　　　癶 癶 登 登

登	登	
오를 **등**	오를 **등**	오를 **등**
오를 **등**	오를 **등**	오를 **등**

（부수）力　　　　（획수）총 11획
（쓰는
순서）ㅡ ㄷ ㄷ 台 台 台 盲 重
　　　重 動 動

動	動	
움직일 **동**	움직일 **동**	움직일 **동**
움직일 **동**	움직일 **동**	움직일 **동**

어휘力
사전

登 場　場: 마당 장
● **등장**: 무대 위에 오르는 것.

登 校　校: 학교 교
● **등교**: 학생이 학교에 감.

出 動　出: 날 출
● **출동**: 군인·경찰 등이 일이 생긴 곳으로 감.

動 物　物: 물건 물
● **동물**: 짐승, 새, 벌레 등의 생물. 사람 이외의 짐승.

다음 한자의 훈과 음을 찾아 선으로 이으세요.

❶ 登 •

• 오를 등 •

• 움직일 동 •

• 動 ❷

다음 밑줄 친 단어의 한자를 찾아 선으로 이으세요.

❶ 9시까지 <u>등교</u>해야 합니다. •

• 登校

❷ 소방대원들이 불이 난 곳으로 <u>출동</u>했습니다. •

• 出動

❸ 연극 무대에 새로운 인물들이 <u>등장</u>했습니다. •

• 動物

❹ 겨울이 되면 여러 동물이 겨울잠을 잡니다. •

• 登場

교과서
어휘力

다음 내용을 보고 빈칸에 공통으로 들어갈 한자를 쓰세요.

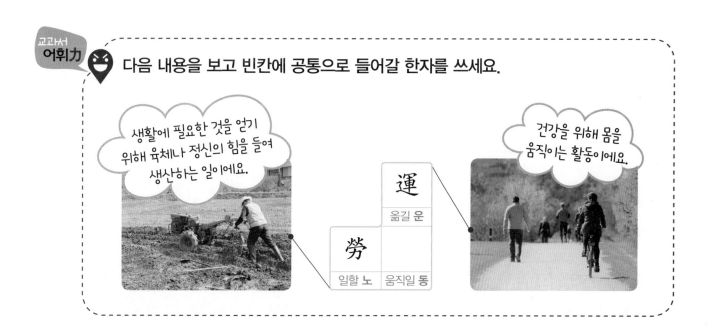

생활에 필요한 것을 얻기 위해 육체나 정신의 힘을 들여 생산하는 일이에요.

건강을 위해 몸을 움직이는 활동이에요.

運
옮길 운

勞
일할 노   움직일 동

植
심을 식

나무를 곧게 심는 모습으로,
심다를 뜻해요.

食
밥 식

음식을 담는 그릇 모양으로,
밥, 음식, 먹다를 뜻해요.

(부수) 木　　(획수) 총 12획

(쓰는 순서) 一 十 オ 木 木 朾 柿 柿 柿 柿 植 植

植	植	
심을 **식**	심을 **식**	심을 **식**
심을 **식**	심을 **식**	심을 **식**

(부수) 食　　(획수) 총 9획

(쓰는 순서) ノ 人 人 今 今 今 슄 食 食

食	食	
밥/먹을 **식**	밥/먹을 **식**	밥/먹을 **식**
밥/먹을 **식**	밥/먹을 **식**	밥/먹을 **식**

*食은 '먹을 식'으로도 쓰여요.

어휘力 사전

植 物　　物: 물건 물

● **식물**: 풀이나 나무, 버섯 등의 생물.

植 木 日　　木: 나무 목
　　　　　　　日: 날 일

● **식목일**: 나무를 심고 가꾸도록 국가에서 정한 날. 4월 5일.

食 事　　事: 일 사

● **식사**: 아침, 점심, 저녁처럼 일정한 시간에 음식을 먹음.

後 食　　後: 뒤 후

● **후식**: 식사 뒤에 먹는 간단한 음식.

☺ 다음 한자의 훈과 음을 쓰세요.

❶
植

❷
食

☺ 다음 밑줄 친 한자의 음을 찾아 번호를 쓰세요.

① 후식　　② 식사　　③ 식목일　　④ 식물

❶ <u>後食</u>으로 아이스크림을 먹었습니다.　　　　(　　　)

❷ <u>植木日</u>을 맞아 산에 나무를 심었습니다.　　(　　　)

❸ 할아버지 생신을 맞아 가족이 함께 <u>食事</u>를 했습니다.　　(　　　)

❹ 적당한 물과 양분, 햇빛이 있어야 <u>植物</u>이 잘 자랍니다.　　(　　　)

교과서
어휘力 😈 다음 내용을 보고 빈칸에 공통으로 들어갈 한자를 쓰세요.

나는 풀과 같은 식물을 먹고 살아요.

나는 동물의 고기를 먹고 살아요.

❶
草		動	物
풀 초	먹을 식	움직일 동	물건 물

❷
肉		動	物
고기 육	먹을 식	움직일 동	물건 물

活
살 활

사람은 입에 침이 있어야 살아 있다는 데서
살다를 뜻해요.

休
쉴 휴

사람이 하던 일을 멈추고 나무에 등을 기대고
쉬는 모습으로, **쉬다**를 뜻해요.

（부수）氵(水)　　（획수）총 9획
（쓰는순서）丶　氵　氵　氵　汗　汗　浯　活　活

活	活	
살 활	살 활	살 활
살 활	살 활	살 활

（부수）亻(人)　　（획수）총 6획
（쓰는순서）丿　亻　亻　什　休　休

休	休	
쉴 휴	쉴 휴	쉴 휴
쉴 휴	쉴 휴	쉴 휴

어휘力
사전

活 動　動: 움직일 동
● **활동**: 몸을 움직여 행동함. 어떤 목적을 위해 움직임.

生 活　生: 날 생
● **생활**: 사람, 동물이 일정한 환경에서 살아가는 것.

休 學　學: 배울 학
● **휴학**: 일정 기간 동안 수업을 받지 않고 학교를 쉼.

休 日　日: 날 일
● **휴일**: 일을 하지 않고 쉬거나 노는 날.

😊 다음 한자의 훈과 음을 찾아 선으로 이으세요.

❶ 活 • • 쉴 휴

❷ 休 • • 살 활

😀 다음 밑줄 친 단어의 한자를 찾아 번호를 쓰세요.

① 休日 ② 休學 ③ 生活 ④ 活動

❶ 밤이 되자 호랑이가 활동을 시작했습니다. (   )

❷ 삼촌은 군대를 가기 위해 휴학을 했습니다. (   )

❸ 연구원은 철새의 생활을 오랫동안 관찰했습니다. (   )

❹ 우리 가족은 휴일에 공원에서 배드민턴을 칩니다. (   )

😈 다음 내용을 보고 빈칸에 알맞은 한자를 쓰세요.

나는 다 쓴 우유갑을 잘라서 만든 연필꽂이야.

다 쓴 물건을 버리지 않고 다른 용도로 바꾸어 쓰거나 고쳐서 다시 쓰는 일.

↓

再		用
두 재	살 활	쓸 용

重
무거울 중

사람이 무거운 짐을 등에 지고 있는 모습으로,
무겁다, 소중하다를 뜻해요.

便
편할 편

불편한 것을 편하게 바로잡는 모습으로,
편하다를 뜻해요.

(부수) 里 (획수) 총 9획
(쓰는 순서) 一 二 亓 亓 盲 盲 重 重 重

重	重	
무거울 중	무거울 중	무거울 중

무거울 중	무거울 중	무거울 중

(부수) 亻(人) (획수) 총 9획
(쓰는 순서) ノ 亻 亻 仁 仴 佢 佢 便

便	便	
편할 편/똥오줌 변	편할 편/똥오줌 변	편할 편/똥오줌 변

편할 편/똥오줌 변	편할 편/똥오줌 변	편할 편/똥오줌 변

*便은 '똥오줌 변'으로도 쓰여요

어휘力 사전

重 力 力: 힘 력
● **중력**: 지구가 지구 위에 있는 물체를 끄는 힘.

所 重 所: 바 소
● **소중**: 귀하게 여김.

便 安 安: 편안 안
● **편안**: 몸이나 마음이 힘들거나 아프지 않고 편하여 좋음.

不 便 不: 아닐 불
● **불편**: 편하지 않음.

😊 다음 한자의 훈과 음을 쓰세요.

❶

重

❷

便

😄 다음 밑줄 친 한자의 음을 찾아 선으로 이으세요.

❶ 바지가 작아서 <u>不便</u>합니다. •   • 중력

❷ 친구에게 받은 편지를 <u>所重</u>하게 여깁니다. •   • 소중

❸ 지구의 모든 사물은 <u>重力</u>의 영향을 받습니다. •   • 편안

❹ 이 음악을 들으면 마음이 <u>便安</u>해집니다. •   • 불편

교과서 어휘力

😈 다음 빈칸에 알맞은 한자를 써서 우리가 지켜야 할 공공 예절을 알아보세요.

영화관

❶
不	
아닐 불	편할 편

하더라도 휴대 전화는 잠시 꺼 두어요.

물을 내려야지! 화장실

❷
	器
똥오줌 변	그릇 기

를 사용한 뒤에는 반드시 물을 내려요.

直
곧을 직

열 개(十)의 눈(目)으로 숨은 것을 바르게
본다는 것에서, **곧다**를 뜻해요.

全
온전 전

흠집이나 상처가 없는 옥을 나타낸 글자로,
온전하다를 뜻해요.

(부수) 目　　　(획수) 총 8획

(쓰는 순서) 一 十 十 亍 古 古 百 百 直

直	直	
곧을 **직**	곧을 **직**	곧을 **직**
곧을 **직**	곧을 **직**	곧을 **직**

(부수) 入　　　(획수) 총 6획

(쓰는 순서) ノ 入 仝 仝 仐 全

全	全	
온전 **전**	온전 **전**	온전 **전**
온전 **전**	온전 **전**	온전 **전**

어휘力 사전

直 立　立: 설 립

● **직립**: 꼿꼿이 똑바로 섬.

直 行　行: 다닐 행

● **직행**: 중간에 멈추는 곳 없이 곧장 감.

全 體　體: 몸 체

● **전체**: 무엇의 모든 부분.

全 國　國: 나라 국

● **전국**: 한 나라 전체. 온 나라.

😊 다음 한자의 훈과 음으로 알맞은 것을 찾아 ◯표 하세요.

❶ 直

곧을 직   곧을 지

❷ 全

완전할 완   온전 전

😃 다음 밑줄 친 단어의 한자를 찾아 번호를 쓰세요.

> ① 直行   ② 全體   ③ 直立   ④ 全國

❶ <u>직행</u> 버스를 타고 충주에 갔습니다.   (   )

❷ 이번 체육 대회에는 반 학생 <u>전체</u>가 참여합니다.   (   )

❸ 이번 방학에는 <u>전국</u> 방방곡곡을 여행할 것입니다.   (   )

❹ 사람은 똑바로 서서 두 발로 걷는 <u>직립</u> 동물입니다.   (   )

교과서
어휘力 😈 다음 그림을 보고 빈칸에 반대되는 뜻을 가진 한자를 써서 낱말을 완성하세요.

	線	⟷	曲	線
곧을 직	줄 선		굽을 곡	줄 선

다음 한자의 훈과 음을 찾아 선으로 이으세요.

1 便 •

2 登 •

3 活 •

4 重 •

5 動 •

• 살 활

• 오를 등

• 움직일 동

• 편할 편/
똥오줌 변

• 무거울 중

다음 파란색으로 쓴 한자의 훈과 음을 쓰세요.

1 4월 5일은 植목일입니다.　　　　훈 _____　음 _____

2 친구들과 간食을 먹었습니다.　　훈 _____　음 _____

3 도로가 直선으로 뻗어 있습니다.　훈 _____　음 _____

4 休일에 공원으로 소풍을 갑니다.　훈 _____　음 _____

5 건물 全체의 불이 모두 꺼졌습니다.　훈 _____　음 _____

[1~4] 다음 밑줄 친 한자어의 음을 쓰세요.

> 漢字 → 한자

1. <u>植物</u>에 물을 주었습니다.

2. <u>生活</u> 계획표를 짰습니다.

3. 이 기차는 부산까지 <u>直行</u>합니다.

4. <u>登山</u>을 하는 것은 건강에 좋습니다.

[5~8] 다음 한자의 훈과 음을 쓰세요.

> 字 → 글자 자

5. 動

6. 休

7. 全

8. 活

[9~13] 다음 밑줄 친 한자어를 보기 에서 골라 그 번호를 쓰세요.

> 보기
> ① 所重　　② 登校　　③ 全國
> ④ 活動　　⑤ 食事

9. <u>식사</u> 후에 과일을 먹었습니다.

10. 매일 친구와 함께 <u>등교</u>합니다.

11. 내일은 <u>전국</u>에 비가 올 것입니다.

12. 가족의 <u>소중</u>함을 깊이 느꼈습니다.

13. 실외 <u>활동</u>을 할 때에는 안전에 유의합니다.

[14~15] 다음 한자의 상대 또는 반대되는 한자를 보기 에서 골라 그 번호를 쓰세요.

> 보기
> ① 活　　　② 重

14. 死_{죽을 사} ⟷ (　　　)

15. 輕_{가벼울 경} ⟷ (　　　)

[16~18] 다음 뜻에 맞는 한자어를 보기 에서 찾아 그 번호를 쓰세요.

> 보기
> ① 登場　　② 便安　　③ 直立

16. 꼿꼿이 똑바로 섬.

17. 무대 위에 오르는 것.

18. 몸이나 마음이 힘들지 않고 편하여 좋음.

[19~20] 다음 한자의 진하게 표시한 획은 몇 번째 쓰는지 보기 에서 찾아 그 번호를 쓰세요.

> 보기
> ① 첫 번째　　② 두 번째　　③ 세 번째
> ④ 네 번째　　⑤ 다섯 번째　　⑥ 여섯 번째
> ⑦ 일곱 번째　　⑧ 여덟 번째　　⑨ 아홉 번째

19. 休

20. 重

동물과 식물의 한살이

動物(동물)이나 植物(식물)이 태어나서 어린 시절을 거치며 성장하여 자손을 남기고 죽을 때까지의 과정을 '한살이'라고 해요. 동물과 식물의 한살이는 어떻게 다를까요?

동물은 새끼나 알을 낳아요. 새끼나 알이 여러 과정을 거쳐 다 자라고 나면 암수가 짝짓기를 하고, 암컷이 다시 새끼나 알을 낳는 과정을 반복해요.

動物(동물)의 한살이 – 닭

21일 후 → 30일 후 → 6개월 후 →

▲ 알　　　　▲ 병아리　　　　▲ 어린 닭　　　　▲ 다 자란 닭

식물은 씨앗에서 싹이 트고 잎과 줄기가 자란 다음, 꽃이 피고 열매를 맺는 과정을 반복해요.

植物(식물)의 한살이 – 강낭콩

▲ 강낭콩　　　　▲ 싹이 틈.　　　　▲ 잎과 줄기가 자람.　　　　▲ 꽃이 피었다 지고 열매가 맺힘.

이렇게 동물과 식물의 한살이를 살펴보니 어떤가요? 동물이나 식물도 사람처럼 생명이 있고, 자손을 남기기 위해 노력한다는 것을 알 수 있을 거예요. 앞으로 우리 주변의 동물이나 식물을 더욱 소중하게 아껴 주기로 약속해요.

모의 한자능력검정시험

7급II

7급

모의 한자능력검정시험 실시 유의 사항

● 모의시험은 이 책을 모두 학습한 다음에 풀어 보세요.

● 실제 시험에서와 같이 시간을 지켜 풀어 보세요.

● 답안지를 작성할 때는 실제 시험과 똑같이 검정색 볼펜을 사용하세요.

● 글씨가 채점란으로 들어오면 오답 처리되므로, 글씨를 정답 칸 안에 또박또박 쓰세요.

● 모의시험을 마치면 정답을 보고 채점하여 실력을 확인해 보세요.

• **출제 기준:** ㈜ 한국어문회 한자능력검정시험

• **시험 시간:** 50분 • **출제 문항:** 60문항 / 70문항

[1~22] 다음 밑줄 친 漢字語(한자어)의 音(음: 소리)을 쓰세요.

보기

漢字 → 한자

1. 우리나라에는 아름다운 <u>江山</u>이 많습니다.

2. <u>四寸</u> 형을 만났습니다.

3. 길을 건너기 전에 항상 <u>左右</u>를 잘 살펴야 합니다.

4. <u>韓國</u>은 대한민국의 줄임말입니다.

5. 아버지는 우리집 <u>家長</u>이십니다.

6. 호랑이는 육식 <u>動物</u>입니다.

7. <u>敎室</u>에는 이미 많은 학생들이 앉아 있었습니다.

8. <u>人間</u>을 닮은 로봇이 나왔습니다.

9. 학교 <u>正門</u>은 공사 중입니다.

10. 친구와 약속 <u>時間</u>을 정했습니다.

11. 우리 아버지는 <u>孝子</u>로 동네에 소문이 자자합니다.

12. <u>東海</u>는 바닷물이 맑습니다.

13. 할머니는 세 명의 <u>子女</u>를 낳으셨습니다.

14. 수영장은 <u>午前</u> 9시부터 사용할 수 있습니다.

15. 지민이는 <u>每事</u>에 최선을 다합니다.

16. 매일 <u>日記</u>를 쓰면 글쓰기 실력을 향상시킬 수 있습니다.

17. 이 그림은 사람의 움직임을 <u>力動</u>적으로 표현했습니다.

18. 여름에는 <u>電氣</u> 사용량이 늘어납니다.

19. 바다에서는 수상 <u>安全</u> 요원의 지시에 잘 따라야 합니다.

20. 책을 많이 읽으면 <u>世上</u>을 보는 눈을 넓힐 수 있습니다.

21. 어머니께서 <u>市場</u>에서 맛있는 옥수수를 사 오셨습니다.

22. 자식은 부모님께 <u>孝道</u>를 해야 합니다.

[23~42] 다음 漢字(한자)의 訓(훈: 뜻)과 音(음: 소리)을 쓰세요.

보기

字 → 글자 자

23. 間

24. 內

25. 寸

26. 動

27. 每

28. 事

29. 市

30. 韓

31. 全

32. 直

33. 姓

34. 後

35. 電

36. 先

37. 力

38. 萬

39. 午

40. 記

41. 校

42. 西

[43~44] 다음 밑줄 친 漢字語(한자어)를 **보기**에서 골라 그 번호를 쓰세요.

보기

① 空氣　　② 市內

③ 平生　　④ 水軍

43. 산에 오니 맑은 공기를 마실 수 있어 좋습니다.

44. 이곳은 선생님께서 평생을 바쳐 만드신 집입니다.

[45~54] 다음 訓(훈: 뜻)과 音(음: 소리)에 맞는 漢字(한자)를 보기 에서 골라 그 번호를 쓰세요.

보기

① 南　② 農　③ 青　④ 漢　⑤ 車
⑥ 物　⑦ 立　⑧ 弟　⑨ 方　⑩ 孝

45. 푸를 청

46. 설 립

47. 물건 물

48. 농사 농

49. 수레 거/차

50. 아우 제

51. 효도 효

52. 모 방

53. 남녘 남

54. 한수/한나라 한

[55~56] 다음 漢字(한자)의 상대 또는 반대되는 漢字(한자)를 보기 에서 골라 그 번호를 쓰세요.

보기

① 男　② 右
③ 上　④ 中

55. 左 ⟷ (　　)

56. 下 ⟷ (　　)

[57~58] 다음 뜻에 맞는 漢字語(한자어)를 보기 에서 찾아 그 번호를 쓰세요.

보기

① 工事　② 木手
③ 午後　④ 市内

57. 낮 열두 시부터 밤 열두 시까지의 동안.

58. 나무 등의 목재를 이용해 집을 짓거나 물건을 만드는 일을 전문적으로 하는 사람.

[59~60] 다음 漢字(한자)의 진하게 표시한 획은 몇 번째 쓰는지 보기 에서 찾아 그 번호를 쓰세요.

보기

① 첫 번째　② 두 번째
③ 세 번째　④ 네 번째
⑤ 다섯 번째　⑥ 여섯 번째
⑦ 일곱 번째　⑧ 여덟 번째
⑨ 아홉 번째　⑩ 열 번째

59. 名

60. 前

[1~32] 다음 밑줄 친 漢字語의 音(음: 소리)을 쓰세요.

> **보기**
>
> 漢字 → 한자

1. 우리 <u>父子</u>는 얼굴이 닮았습니다.

2. 삼촌은 <u>有名</u>한 가수입니다.

3. 할머니 댁은 <u>市外</u>에 있습니다.

4. 시장에는 <u>萬物</u>이 있습니다.

5. 사람은 <u>直立</u> 동물입니다.

6. 그 집은 항상 <u>大門</u>이 굳게 닫혀 있습니다.

7. 태풍으로 <u>電力</u> 공급이 중단되었습니다.

8. 올해는 배 농사가 <u>平年</u>보다 잘되었습니다.

9. 시험을 보고 친구들과 <u>正答</u>을 맞추어 보았습니다.

10. 이 약은 <u>食後</u> 삼십 분 안에 먹어야 합니다.

11. <u>老人</u>은 자신이 그 마을의 비밀을 알고 있다고 말했습니다.

12. 언니가 결혼하여 나에게도 <u>兄夫</u>가 생겼습니다.

13. 사건 발생 <u>場所</u>에서는 증거가 발견되지 않았습니다.

14. 글자는 <u>正字</u>로 바르게 써야 합니다.

15. 아버지께서 <u>花草</u>의 잎을 정성껏 닦으셨습니다.

16. 오늘은 <u>立春</u>입니다.

17. 우리 학교 축구부의 소식이 신문 <u>紙面</u>에 실렸습니다.

18. 형이 중학교에 <u>入學</u>했습니다.

19. <u>植木日</u>을 맞이하여 나무 심기 행사가 열렸습니다.

20. <u>軍人</u>들이 전투태세를 갖췄습니다.

21. 소중한 <u>山林</u> 자원을 화재로부터 보호해야 합니다.

22. 외국에서 <u>韓食</u>의 인기가 높아지고 있습니다.

23. 병충해가 늘어 올해 <u>農事</u>가 어려움을 겪고 있습니다.

24. 우리나라는 <u>三面</u>이 바다로 둘러싸여 있습니다.

25. 우리 <u>食口</u>는 모두 네 명입니다.

26. 선수들은 경기를 시작하기 전에 <u>國歌</u>를 제창했습니다.

27. <u>外來語</u>는 다른 나라 말을 빌려 와서 우리말처럼 쓰는 말입니다.

28. 우리 가족은 <u>漢江</u>에서 유람선을 탔습니다.

29. 태양계의 행성은 태양을 <u>中心</u>으로 하여 돕니다.

30. <u>自然</u>을 아끼고 사랑합시다.

31. 풍물패가 <u>登場</u>하자 관객들의 흥이 점점 더 올랐습니다.

32. 형과 함께 <u>數學</u> 공부를 했습니다.

[33~52] 다음 漢字의 訓(훈: 뜻)과 音(음: 소리)을 쓰세요.

> 보기
>
> 字 → 글자 자

33. 命

34. 金

35. 問

36. 上

37. 場

38. 所

39. 村

40. 安

41. 川

42. 活

43. 海

44. 住

45. 然

46. 道

47. 夫

48. 算

49. 農

50. 邑

51. 旗

52. 冬

[53~54] 다음 밑줄 친 漢字語를 보기 에서 골라 그 번호를 쓰세요.

> 보기
>
> ① 人口   ② 車道
> ③ 人道   ④ 門前

53. <u>차도</u>를 함부로 건너면 안 됩니다.

54. 놀부는 흥부를 <u>문전</u>에서 내쫓았습니다.

[55~64] 다음 訓(훈: 뜻)과 音(음: 소리)에 맞는 漢字를 보기 에서 골라 그 번호를 쓰세요.

보기

| ① 百 | ② 直 | ③ 子 | ④ 工 | ⑤ 年 |
| ⑥ 白 | ⑦ 洞 | ⑧ 姓 | ⑨ 空 | ⑩ 學 |

55. 일백 백

56. 해 년

57. 장인 공

58. 배울 학

59. 아들 자

60. 빌 공

61. 곧을 직

62. 성 성

63. 흰 백

64. 골 동/밝을 통

[65~66] 다음 漢字의 상대 또는 반대되는 漢字를 보기 에서 골라 그 번호를 쓰세요.

보기

| ① 外 | ② 直 | ③ 大 | ④ 足 |

65. 手 ⟷ ( )

66. 內 ⟷ ( )

[67~68] 다음 뜻에 맞는 漢字語를 보기 에서 찾아 그 번호를 쓰세요.

보기

| ① 海上 | ② 時間 |
| ③ 海水 | ④ 時日 |

67. 바닷물.

68. 어떤 시각에서 다른 시각까지의 동안. 또는 그 길이.

[69~70] 다음 漢字의 진하게 표시한 획은 몇 번째 쓰는지 보기 에서 찾아 그 번호를 쓰세요.

보기

① 첫 번째	② 두 번째
③ 세 번째	④ 네 번째
⑤ 다섯 번째	⑥ 여섯 번째
⑦ 일곱 번째	⑧ 여덟 번째
⑨ 아홉 번째	⑩ 열 번째
⑪ 열한 번째	⑫ 열두 번째

69. 來 ( )

70. 孝 ( )

[1~32] 다음 밑줄 친 漢字語의 音(음: 소리)을 쓰세요.

> 漢字 → 한자

1. 비행기가 <u>空中</u>에서 묘기를 부렸습니다.

2. 매일 아침 <u>日氣</u> 예보를 봅니다.

3. 충청도에 있는 <u>外家</u>에 다녀왔습니다.

4. 올해에도 <u>漢江</u>에 철새가 찾아왔습니다.

5. <u>海上</u>에 높은 파도가 일었습니다.

6. 가게에 <u>電話</u>를 걸었습니다.

7. 연락처와 <u>姓名</u>을 적어 주었습니다.

8. 어버이날을 맞아 <u>父母</u>님께 편지를 씁니다.

9. 이 집은 국수의 <u>名家</u>로 소문이 났습니다.

10. 독도는 우리나라의 <u>國土</u>입니다.

11. 아버지는 <u>兄弟</u>끼리 다투지 말고 사이좋게 지내라고 말씀하셨습니다.

12. 할아버지는 <u>民話</u>를 수집하여 기록하셨습니다.

13. 하수도 <u>工事</u> 관계로 불편을 끼쳐 죄송합니다.

14. 오랜만에 <u>三寸</u>을 만났습니다.

15. 기화는 여러 동아리에서 <u>活動</u>했습니다.

16. 오래되고 지저분한 <u>便所</u>를 깨끗하게 청소했습니다.

17. 단풍이 <u>五色</u>으로 물들었습니다.

18. <u>秋夕</u>을 맞아 송편을 빚었습니다.

19. 윷놀이는 <u>男女老少</u> 가리지 않고 누구나 할 수 있는 놀이입니다.

20. 다양한 <u>文學</u> 작품을 읽었습니다.

21. 학교에서 <u>夕食</u>을 먹었습니다.

22. 그는 늘키면 도망칠 <u>心算</u>으로 거짓말을 했습니다.

23. 강릉에는 <u>名所</u>가 많습니다.

24. 앞으로는 도로명 <u>住所</u>를 사용해야 합니다.

25. 제가 이 집의 <u>主人</u>입니다.

26. 창문을 <u>二重</u>으로 달았습니다.

27. 지하철 <u>出入門</u>이 갑자기 닫혔습니다.

28. 아이들은 일주일 동안 <u>農村</u>에서 농사일을 하며 현장체험을 했습니다.

29. 진달래가 피어 온 <u>山川</u>이 진분홍빛으로 물들었습니다.

30. <u>千金</u>을 준다 해도 이 물건은 절대 팔 수 없습니다.

31. 우리 고장은 뛰어난 경치로 <u>有名</u>합니다.

32. 지도자는 <u>民心</u>을 얻기 위해 노력했습니다.

[33~52] 다음 漢字의 訓(훈: 뜻)과 音(음: 소리)을 쓰세요.

 보기

> 字 → 글자 자

33. 休

34. 夕

35. 答

36. 草

37. 夏

38. 靑

39. 家

40. 室

41. 登

42. 足

43. 弟

44. 色

45. 自

46. 直

47. 子

48. 話

49. 世

50. 時

51. 重

52. 文

[53~54] 다음 밑줄 친 漢字語를 보기 에서 골라 그 번호를 쓰세요.

보기

> ① 人生　　② 人物
> ③ 靑白色　　④ 靑少年

53. <u>청소년</u>은 미래의 주인공입니다.

54. 행복한 <u>인생</u>은 스스로 만드는 것입니다.

[55~64] 다음 訓(훈: 뜻)과 音(음: 소리)에 맞는 漢字를 보기 에서 골라 그 번호를 쓰세요.

보기

| ① 植 | ② 育 | ③ 算 | ④ 每 | ⑤ 便 |
| ⑥ 里 | ⑦ 少 | ⑧ 祖 | ⑨ 教 | ⑩ 旗 |

55. 매양 매

56. 기 기

57. 심을 식

58. 기를 육

59. 적을 소

60. 할아비 조

61. 가르칠 교

62. 셈 산

63. 마을 리

64. 편할 편/똥오줌 변

[65~66] 다음 漢字의 상대 또는 반대되는 漢字를 보기 에서 골라 그 번호를 쓰세요.

보기

| ① 父 | ② 入 | ③ 少 | ④ 口 |

65. 老 ⟷ (   )

66. 出 ⟷ (   )

[67~68] 다음 뜻에 맞는 漢字語를 보기 에서 찾아 그 번호를 쓰세요.

보기

| ① 國花 | ② 休日 |
| ③ 國力 | ④ 休學 |

67. 한 나라가 가지고 있는 모든 힘.

68. 일요일이나 공휴일 같이 일을 하지 않고 쉬는 날.

[69~70] 다음 漢字의 진하게 표시한 획은 몇 번째 쓰는지 보기 에서 찾아 그 번호를 쓰세요.

보기

① 첫 번째	② 두 번째
③ 세 번째	④ 네 번째
⑤ 다섯 번째	⑥ 여섯 번째
⑦ 일곱 번째	⑧ 여덟 번째
⑨ 아홉 번째	⑩ 열 번째
⑪ 열한 번째	⑫ 열두 번째
⑬ 열세 번째	⑭ 열네 번째

69. 平

70. 算

제1회 모의 한자능력검정시험 7급II 답안지(1)

답안란		채점란		답안란		채점란		답안란		채점란	
번호	정답	1검	2검	번호	정답	1검	2검	번호	정답	1검	2검
1				10				19			
2				11				20			
3				12				21			
4				13				22			
5				14				23			
6				15				24			
7				16				25			
8				17				26			
9				18				27			

제1회 모의 한자능력검정시험 7급Ⅱ 답안지(2)

번호	정답	1검	2검	번호	정답	1검	2검	번호	정답	1검	2검
28				39				50			
29				40				51			
30				41				52			
31				42				53			
32				43				54			
33				44				55			
34				45				56			
35				46				57			
36				47				58			
37				48				59			
38				49				60			

수험 번호 ●●●● - ●● - ●●●●● 　성명 ⬭⬭⬭⬭⬭

생년월일 ●●●●●● 　※ 유성 싸인펜, 붉은색 필기구 사용 불가

※ 답안지는 구기거나 더럽히지 마시고, 정답 칸 안에만 쓰십시오.
　글씨가 채점란으로 들어오면 오답 처리가 됩니다.

제1회 모의 한자능력검정시험 7급 답안지(1)

번호	정답	1검	2검	번호	정답	1검	2검	번호	정답	1검	2검
	답안란	채점란			답안란	채점란			답안란	채점란	
1				12				23			
2				13				24			
3				14				25			
4				15				26			
5				16				27			
6				17				28			
7				18				29			
8				19				30			
9				20				31			
10				21				32			
11				22				33			

※ 본 답안지는 구겨지거나 더럽혀지지 않도록 조심하시고 글씨를 칸 안에 또박또박 쓰십시오.

제1회 모의 한자능력검정시험 7급 답안지(2)

번호	정답	1검	2검	번호	정답	1검	2검	번호	정답	1검	2검
	답안란	채점란			답안란	채점란			답안란	채점란	
34				47				60			
35				48				61			
36				49				62			
37				50				63			
38				51				64			
39				52				65			
40				53				66			
41				54				67			
42				55				68			
43				56				69			
44				57				70			
45				58							
46				59							

수험 번호 ●●● - ●● - ●●●●●   성명 ⬭

생년월일 ●●●●●●   ※ 유성 싸인펜, 붉은색 필기구 사용 불가

※ 답안지는 구기거나 더럽히지 마시고, 정답 칸 안에만 쓰십시오.
　글씨가 채점란으로 들어오면 오답 처리가 됩니다.

제2회 모의 한자능력검정시험 7급 답안지(1)

번호	정답	1검	2검	번호	정답	1검	2검	번호	정답	1검	2검
	답안란	채점란			답안란	채점란			답안란	채점란	
1				12				23			
2				13				24			
3				14				25			
4				15				26			
5				16				27			
6				17				28			
7				18				29			
8				19				30			
9				20				31			
10				21				32			
11				22				33			

※ 본 답안지는 구겨지거나 더럽혀지지 않도록 조심하시고 글씨를 칸 안에 또박또박 쓰십시오.

제2회 모의 한자능력검정시험 7급 답안지(2)

번호	정답	1검	2검	번호	정답	1검	2검	번호	정답	1검	2검
34				47				60			
35				48				61			
36				49				62			
37				50				63			
38				51				64			
39				52				65			
40				53				66			
41				54				67			
42				55				68			
43				56				69			
44				57				70			
45				58							
46				59							

초능력 급수 한자 7급

정답

7급

1주

1일 15쪽
- 😊 ❶ 하 ❷ 상
- 😊 ❶ 地上 ❷ 地下 ❸ 海上 ❹ 下校
- 어휘力 ❶ 上 ❷ 下

2일 17쪽
- 😊 ❶ 왼 좌 ❷ 오른 우
- 😊 ❶ ② ❷ ① ❸ ④ ❹ ③
- 어휘力 右, 左

3일 19쪽
- 😊 ❶ 들 입 ❷ 날 출
- 😊 ❶ ② ❷ ③ ❸ ① ❹ ④
- 어휘力 ❶ 入 ❷ 出

4일 21쪽
- 😊 ❶ 앞 전 ❷ 뒤 후
- 😊 ❶ ④ ❷ ① ❸ ③ ❹ ②
- 어휘力 ❶ 前 ❷ 後

5일 23쪽
- 😊 ❶ 內 (○)
- 😊 ❶ ④ ❷ ① ❸ ② ❹ ③
- 어휘力 ❶ 平

연습 문제 24쪽
- 📍 ❶ 윗 상 ❷ 왼 좌 ❸ 뒤 후 ❹ 안 내 ❺ 평평할 평
- 📍 ❶ 아래 하 ❷ 앞 전 ❸ 오른 우 ❹ 날 출 ❺ 들 입

기출 문제 25쪽
1. 입금 2. 사전 3. 평생 4. 좌우 5. 날 출
6. 뒤 후 7. 안 내 8. 아래 하 9. ④ 10. ⑤
11. ① 12. ② 13. ③ 14. ② 15. ①
16. ③ 17. ② 18. ① 19. ⑤ 20. ①

2주

1일 29쪽
- 😊 ❶ 손 수 ❷ 발 족
- 😊 ❶ 수중 ❷ 부족 ❸ 하수 ❹ 수족
- 어휘力 ❶ 足 ❷ 足

2일 31쪽
- 😊 ❶ 입 ❷ 낯
- 😊 ❶ ④ ❷ ① ❸ ② ❹ ③
- 어휘力 口

3일 33쪽
- 😊 ❶ 목숨 명 ❷ 마음 심
- 😊 ❶ ③ ❷ ① ❸ ④ ❹ ②
- 어휘力 ❶ 心 ❷ 心

4일 35쪽
- 😊 ❶ 힘 력 ❷ 기를 육
- 😊 ❶ ② ❷ ④ ❸ ③ ❹ ①
- 어휘力 力

5일 37쪽
- 😊 ❶ 老 (○)
- 😊 ❶ ③ ❷ ① ❸ ② ❹ ④
- 어휘力 ❶ 氣

연습 문제 38쪽
- 📍 ❶ 발 족 ❷ 낯 면 ❸ 목숨 명 ❹ 힘 력 ❺ 늙을 로
- 📍 ❶ 기운 기 ❷ 마음 심 ❸ 손 수 ❹ 기를 육 ❺ 입 구

기출 문제 39쪽
1. 화력 2. 표면 3. 생명 4. 실수 5. 손 수
6. 낯 면 7. 기를 육 8. 늙을 로 9. ④ 10. ⑤
11. ② 12. ① 13. ③ 14. ② 15. ①
16. ① 17. ③ 18. ② 19. ⑥ 20. ⑤

1일 43쪽
- 😊 ① ↔
- 😊 ① ① ② ② ③ ④ ④ ③
- 어휘力 ① 地 ② 地

2일 45쪽
- 😊 ① 스스로 자 ② 그럴 연
- 😊 ① ① ② ④ ③ ② ④ ③
- 어휘力 ① 自 ② 然

3일 47쪽
- 😊 ① 강 강 ② 내 천
- 😊 ① ② ② ① ③ ④ ④ ③
- 어휘力 ① 川 ② 川

4일 49쪽
- 😊 海(○)
- 😊 ① ① ② ③ ③ ④ ④ ②
- 어휘力 ① 海 ② 海 ③ 海

5일 51쪽
- 😊 ① 풀 초 ② 꽃 화
- 😊 ① ③ ② ① ③ ④ ④ ②
- 어휘力 ① 花 ② 花

연습 문제 52쪽
- 📍 ① 하늘 천 ② 그럴 연 ③ 내 천 ④ 수풀 림 ⑤ 꽃 화
- 📍 ① 땅 지 ② 풀 초 ③ 바다 해 ④ 스스로 자 ⑤ 강 강

기출 문제 53쪽
1. 화초 2. 강산 3. 평지 4. 자연 5. 땅 지
6. 그럴 연 7. 내 천 8. 바다 해 9. ④ 10. ①
11. ⑤ 12. ② 13. ③ 14. ② 15. ①
16. ③ 17. ① 18. ② 19. ⑥ 20. ③

1일 57쪽
- 😊 ① 봄 춘 ② 여름 하
- 😊 ① ④ ② ① ③ ③ ④ ②
- 어휘力 春

2일 59쪽
- 😊 ① 가을 ② 겨울
- 😊 ① ③ ② ① ③ ② ④ ④
- 어휘力 秋

3일 61쪽
- 😊 ① 낮 오 ② 저녁 석
- 😊 ① ③ ② ② ③ ① ④ ④
- 어휘力 夕

4일 63쪽
- 😊 ① 때 시 ② 사이 간
- 😊 ① 間食 ② 時間 ③ 同時 ④ 中間
- 어휘力 ① 間 ④ 間 ③ 間

5일 65쪽
- 😊 ② 有(○)
- 😊 ① ④ ② ① ③ ③ ④ ②
- 어휘力 ① 色 ② 有

연습 문제 66쪽
- 📍 ① 봄 춘 ② 때 시 ③ 저녁 석 ④ 있을 유 ⑤ 겨울 동
- 📍 ① 가을 추 ② 낮 오 ③ 사이 간 ④ 여름 하 ⑤ 빛 색

기출 문제 67쪽
1. 오후 2. 시간 3. 추석 4. 청춘 5. 봄 춘
6. 저녁 석 7. 사이 간 8. 빛 색 9. ③ 10. ②
11. ① 12. ⑤ 13. ④ 14. ② 15. ①
16. ② 17. ① 18. ③ 19. ② 20. ⑥

5주

1일 71쪽
- 📍 ① 사내 남 ② 아들 자
- 😊 ① ④ ② ② ③ ① ④ ③
- 어휘力 ① 子

2일 73쪽
- 📍 ① 主(○)
- 😊 ① ④ ② ③ ③ ① ④ ②
- 어휘力 ① 夫

3일 75쪽
- 📍 ① 할아비 조 ② 효도 효
- 😊 ① ③ ② ④ ③ ① ④ ②
- 어휘力 ① 孝 ② 孝

4일 77쪽
- 📍 성명
- 😊 ① ④ ② ② ③ ③ ④ ①
- 어휘力 ① 名 ② 名

5일 79쪽
- 📍 ① 인간 세 ② 편안 안
- 😊 ① ② ② ④ ③ ① ④ ③
- 어휘力 ① 安

연습 문제   80쪽
- 📍 ① 임금/주인 주 ② 이름 명 ③ 효도 효 ④ 시아비 부 ⑤ 편안 안
- 📍 ① 성 성 ② 할아비 조 ③ 사내 남 ④ 인간 세 ⑤ 아들 자

기출 문제   81쪽
1. 자녀   2. 공부   3. 명인   4. 남자   5. 지아비 부
6. 효도 효   7. 인간 세   8. 성 성   9. ⑤   10. ②
11. ④   12. ①   13. ③   14. ②   15. ①
16. ③   17. ②   18. ①   19. ④   20. ⑥

6주

1일 85쪽
- 📍 ① 百 ② 千
- 😊 ① ④ ② ② ③ ① ④ ③
- 어휘力 ① 千 ② 千

2일 87쪽
- 📍 부정
- 😊 ① ② ② ① ③ ④ ④ ③
- 어휘力 正

3일 89쪽
- 📍 ① 셈 산 ② 셈 수
- 😊 ① ② ② ④ ③ ③ ④ ①
- 어휘力 ① 數 ② 數

4일 91쪽
- 📍 ① 매양 매 ② 빌 공
- 😊 ① 空氣 ② 每日 ③ 空間 ④ 每事
- 어휘力 空

5일 93쪽
- 📍 ① 少 ② 同
- 😊 ① ① ② ③ ③ ④ ④ ①
- 어휘力 同

연습 문제   94쪽
- 📍 ① 바를 정 ② 셈 산 ③ 아니 불/부 ④ 매양 매 ⑤ 셈 수
- 📍 ① 빌 공 ② 한가지 동 ③ 일천 천 ④ 적을 소 ⑤ 일백 백

기출 문제   95쪽
1. 매일   2. 정면   3. 천만   4. 공기   5. 일백 백
6. 바를 정   7. 셈 산   8. 매양 매   9. ②   10. ③
11. ④   12. ①   13. ⑤   14. ②   15. ①
16. ③   17. ①   18. ②   19. ②   20. ⑤

7주

1일 99쪽
😊 ❶ 村(○)
😊 ❶ ④ ❷ ③ ❸ ② ❹ ①
어휘力 村

2일 101쪽
😊 ❶ 동 ❷ 읍
😊 ❶ ③ ❷ ① ❸ ② ❹ ④
어휘力 邑

3일 103쪽
😊 ❶ 저자 시 ❷ 마당 장
😊 ❶ ② ❷ ③ ❸ ① ❹ ④
어휘力 ❶ 市場 ❷ 市場

4일 105쪽
😊 ❶ 주 ❷ 소
😊 ❶ ② ❷ ① ❸ ③ ❹ ④
어휘力 住

5일 107쪽
😊 ❶ 농사 ❷ 집
😊 ❶ ② ❷ ③ ❸ ① ❹ ④
어휘力 ❶ 家 ❷ 家

연습 문제 108쪽
📍 ❶ 마을 리 ❷ 고을 읍 ❸ 마당 장
  ❹ 골 동/밝을 통 ❺ 바 소
📍 ❶ 집 가 ❷ 저자 시 ❸ 살 주
  ❹ 농사 농 ❺ 마을 촌

기출 문제 109쪽
1. 읍내 2. 동구 3. 공장 4. 농부 5. 집 가
6. 마을 촌 7. 마당 장 8. 고을 읍 9. ⑤ 10. ③
11. ④ 12. ② 13. ① 14. ② 15. ④
16. ⑤ 17. ① 18. ④ 19. ⑤ 20. ⑥

8주

1일 113쪽
😊 ❶ 글월 문 ❷ 글자 자
😊 ❶ ③ ❷ ④ ❸ ① ❹ ②
어휘力 字, 文

2일 115쪽
😊 ❶ 問(○)
😊 ❶ ③ ❷ ② ❸ ① ❹ ④
어휘力 ❶ 問, 答 ❷ 問, 答

3일 117쪽
😊 ❶ 어 ❷ 화
😊 ❶ ② ❷ ① ❸ ④ ❹ ③
어휘力 ❶ 語 ❷ 語

4일 119쪽
😊 ❶ 기록할 기 ❷ 종이 지
😊 ❶ ① ❷ ② ❸ ④ ❹ ③
어휘力 ❶ 記 ❷ 記

5일 121쪽
😊 ❶ 한나라 ❷ 노래
😊 ❶ 한강 ❷ 교가 ❸ 한문 ❹ 가수
어휘力 歌

연습 문제 122쪽
📍 ❶ 글월 문 ❷ 물을 문 ❸ 말씀 어
  ❹ 종이 지 ❺ 한수/한나라 한
📍 ❶ 기록할 기 ❷ 노래 가 ❸ 말씀 화
  ❹ 글자 자 ❺ 대답 답

기출 문제 123쪽
1. 수화 2. 어학 3. 문안 4. 색지 5. 대답 답
6. 물을 문 7. 종이 지 8. 말씀 화 9. ① 10. ②
11. ⑤ 12. ④ 13. ③ 14. ② 15. ①
16. ③ 17. ② 18. ① 19. ③ 20. ⑥

1일 127쪽
- 😊 ❶ 장인 공 ❷ 설 립
- 😄 ❶ ③ ❷ ④ ❸ ① ❹ ②
- 😈 어휘력 立

2일 129쪽
- 😊 ❶ 수레 거/차 ❷ 올 래
- 😄 ❶ 내년 ❷ 내일 ❸ 자전거 ❹ 인력거
- 😈 어휘력 ❶ 車 ❷ 車

3일 131쪽
- 😊 ❶ 物(○)
- 😄 ❶ 白旗 ❷ 人物 ❸ 事物 ❹ 國旗
- 😈 어휘력 物

4일 133쪽
- 😊 ❶ 모 방 ❷ 일 사
- 😄 ❶ ② ❷ ④ ❸ ① ❹ ③
- 😈 어휘력 方

5일 135쪽
- 😊 ❶ 電 ❷ 道
- 😄 ❶ ② ❷ ① ❸ ④ ❹ ③
- 😈 어휘력 電

연습 문제 136쪽
- 📍 ❶ 장인 공 ❷ 올 래 ❸ 기 기
  ❹ 길 도 ❺ 수레 거/차
- 📍 ❶ 모 방 ❷ 설 립 ❸ 일 사
  ❹ 물건 물 ❺ 전기 전

기출 문제 137쪽
1. 국기 2. 인공 3. 가전 4. 사물 5. 장인 공
6. 길 도 7. 올 래 8. 기 기 9. ② 10. ④
11. ① 12. ③ 13. ⑤ 14. ② 15. ①
16. ② 17. ③ 18. ① 19. ④ 20. ⑧

1일 141쪽
- 😊 ❶ 오를 등 ❷ 움직일 동
- 😄 ❶ 登校 ❷ 出動 ❸ 登場 ❹ 動物
- 😈 어휘력 動

2일 143쪽
- 😊 ❶ 심을 식 ❷ 밥/먹을 식
- 😄 ❶ ① ❷ ③ ❸ ② ❹ ④
- 😈 어휘력 ❶ 食 ❷ 食

3일 145쪽
- 😊 ❶ 살 활 ❷ 쉴 휴
- 😄 ❶ ④ ❷ ② ❸ ③ ❹ ①
- 😈 어휘력 活

4일 147쪽
- 😊 ❶ 무거울 중 ❷ 편할 편/ 똥오줌 변
- 😄 ❶ 불편 ❷ 소중 ❸ 중력 ❹ 편안
- 😈 어휘력 ❶ 便 ❷ 便

5일 149쪽
- 😊 ❶ 곧을 직 ❷ 온전 전
- 😄 ❶ ① ❷ ② ❸ ④ ❹ ③
- 😈 어휘력 直

연습 문제 150쪽
- 📍 ❶ 편할 편/똥오줌 변 ❷ 오를 등
  ❸ 살 활 ❹ 무거울 중 ❺ 움직일 동
- 📍 ❶ 심을 식 ❷ 먹을 식 ❸ 곧을 직
  ❹ 쉴 휴 ❺ 온전 전

기출 문제 151쪽
1. 식물 2. 생활 3. 직행 4. 등산 5. 움직일 동
6. 쉴 휴 7. 온전 전 8. 살 활 9. ⑤ 10. ②
11. ③ 12. ① 13. ④ 14. ① 15. ②
16. ③ 17. ① 18. ② 19. ④ 20. ⑧

7급 II 1회

1. 강산	2. 사촌	3. 좌우	4. 한국
5. 가장	6. 동물	7. 교실	8. 인간
9. 정문	10. 시간	11. 효자	12. 동해
13. 자녀	14. 오전	15. 매사	16. 일기
17. 역동	18. 전기	19. 안전	20. 세상
21. 시장	22. 효도	23. 사이 간	24. 안 내
25. 마디 촌	26. 움직일 동	27. 매양 매	28. 일 사
29. 저자 시	30. 한국/나라 한		31. 온전 전
32. 곧을 직	33. 성 성	34. 뒤 후	35. 번개 전
36. 먼저 선	37. 힘 력	38. 일만 만	39. 낮 오
40. 기록할 기	41. 학교 교	42. 서녘 서	43. ①
44. ③	45. ③	46. ⑦	47. ⑥
48. ②	49. ⑤	50. ⑧	51. ⑩
52. ⑨	53. ①	54. ④	55. ②
56. ③	57. ③	58. ②	59. ⑤
60. ⑧			

40. 편안 안	41. 내 천	42. 살 활	43. 바다 해
44. 살 주	45. 그럴 연	46. 길 도	47. 지아비 부
48. 셈 산	49. 농사 농	50. 고을 읍	51. 기 기
52. 겨울 동	53. ②	54. ④	55. ①
56. ⑤	57. ④	58. ⑩	59. ③
60. ⑨	61. ②	62. ⑧	63. ⑥
64. ⑦	65. ④	66. ①	67. ③
68. ②	69. ⑥	70. ⑦	

7급 1회

1. 부자	2. 유명	3. 시외	4. 만물
5. 직립	6. 대문	7. 전력	8. 평년
9. 정답	10. 식후	11. 노인	12. 형부
13. 장소	14. 정자	15. 화초	16. 입춘
17. 지면	18. 입학	19. 식목일	20. 군인
21. 산림	22. 한식	23. 농사	24. 삼면
25. 식구	26. 국가	27. 외래어	28. 한강
29. 중심	30. 자연	31. 등장	32. 수학
33. 목숨 명	34. 쇠 금/성 김		35. 물을 문
36. 윗 상	37. 마당 장	38. 바 소	39. 마을 촌

7급 2회

1. 공중	2. 일기	3. 외가	4. 한강
5. 해상	6. 전화	7. 성명	8. 부모
9. 명가	10. 국토	11. 형제	12. 민화
13. 공사	14. 삼촌	15. 활동	16. 변소
17. 오색	18. 추석	19. 남녀노소	20. 문학
21. 석식	22. 심산	23. 명소	24. 주소
25. 주인	26. 이중	27. 출입문	28. 농촌
29. 산천	30. 천금	31. 유명	32. 민심
33. 쉴 휴	34. 저녁 석	35. 대답 답	36. 풀 초
37. 여름 하	38. 푸를 청	39. 집 가	40. 집 실
41. 오를 등	42. 발 족	43. 아우 제	44. 빛 색
45. 스스로 자	46. 곧을 직	47. 아들 자	48. 말씀 화
49. 인간 세	50. 때 시	51. 무거울 중	52. 글월 문
53. ④	54. ①	55. ④	56. ⑩
57. ①	58. ②	59. ⑦	60. ⑧
61. ⑨	62. ③	63. ⑥	64. ⑤
65. ③	66. ②	67. ③	68. ②
69. ④	70. ⑫		

📍 모르는 한자가 있으면 초능력 한자 8급을 다시 공부하세요.

校 학교교	敎 가르칠교	九 아홉구	國 나라국	軍 군사군
金 쇠금 성(姓)김	南 남녘남	女 계집녀	年 해년	大 큰대
東 동녘동	六 여섯륙	萬 일만만	母 어미모	木 나무목
門 문문	民 백성민	白 흰백	父 아비부	北 북녘북 달아날배
四 넉사	山 메산	三 석삼	生 날생	西 서녘서
先 먼저선	小 작을소	水 물수	室 집실	十 열십
五 다섯오	王 임금왕	外 바깥외	月 달월	二 두이
人 사람인	一 한일	日 날일	長 긴장	弟 아우제
中 가운데중	靑 푸를청	寸 마디촌	七 일곱칠	土 흙토
八 여덟팔	學 배울학	韓 한국 나라한	兄 형형	火 불화

右 오른 우	左 왼 좌	下 아래 하	上 윗 상
여기에서 右회전하세요. ➔ 오른쪽으로 도는 것.	左측에 방이 있어요. ➔ 왼쪽.	지下에 보물이 있어요. ➔ 땅 속.	해上에 배가 떴어요. ➔ 바다 위.
後 뒤 후	前 앞 전	出 날 출	入 들 입
後식을 먹어요. ➔ 식사하고 먹는 간단한 음식.	사前 행사가 있어요. ➔ 무슨 일이 일어나기 전.	외出 준비를 해요. ➔ 집에서 밖으로 나감.	여기가 동굴 入구예요. ➔ 들어가는 곳.
足 발 족	手 손 수	平 평평할 평	内 안 내
배가 불러 만足해요. ➔ 모자람 없이 넉넉함.	비누로 세手를 해요. ➔ 손이나 얼굴을 씻음.	저울의 수平을 맞춰요. ➔ 기울지 않고 평평함.	실内로 들어가세요. ➔ 집이나 건물의 안.
命 목숨 명	心 마음 심	面 낯 면	口 입 구
인命을 구했어요. ➔ 사람의 목숨.	편지에 진心을 담았어요. ➔ 진실된 마음.	수박 표面이 매끈해요. ➔ 사물의 가장 바깥쪽.	口전 동요를 배웠어요. ➔ 입에서 입으로 전해짐.
氣 기운 기	老 늙을 로	育 기를 육	力 힘 력
채우는 생氣가 넘쳐요. ➔ 활발한 기운.	老인이 걸어가요. ➔ 나이 들어 늙은 사람.	사자를 사育해요. ➔ 짐승을 먹여 기름.	체力을 키워요. ➔ 사람이 활동하는 힘.

天 地 自 然

川 江 海 林

草 花 春 夏

秋 冬 午 夕

時 間 有 色

然 그럴 연	**自** 스스로 자	**地** 땅 지	**天** 하늘 천
친구를 만난 건 우然이었어요. → 뜻하지 않게 일어난 일.	이 문은 自동으로 열려요. → 기계가 스스로 움직임.	이곳은 평地예요. → 바닥이 고르게 펀펀한 땅.	天하를 다스려요. → 하늘 아래 온 세상.
林 수풀 림	**海** 바다 해	**江** 강 강	**川** 내 천
삼林이 우거져 있어요. → 나무가 빽빽한 숲.	동海 바다로 놀러 가요. → 우리나라의 동쪽 바다.	江촌에 살아요. → 강가에 있는 마을.	하川이 오염됐어요. → 강과 시내.
夏 여름 하	**春** 봄 춘	**花** 꽃 화	**草** 풀 초
오늘은 입夏예요. → 여름이 시작되는 날.	청春 시절을 떠올려요. → 인생의 젊은 나이.	花분에 꽃씨를 심어요. → 꽃을 심어 가꾸는 그릇.	예쁜 화草를 길러요. → 꽃이 피는 풀과 나무.
夕 저녁 석	**午** 낮 오	**冬** 겨울 동	**秋** 가을 추
夕양이 아름나워요. → 저녁에 저무는 해.	내일 午전 열 시에 만나요. → 밤 12시부터 낮 12시까지의 동안.	곰이 冬면을 해요. → 동물이 겨울에 깊이 자는 잠.	벼를 秋수해요. → 가을에 익은 곡식을 거둠.
色 빛 색	**有** 있을 유	**間** 사이 간	**時** 때 시
오色 단풍이 물들었어요. → 여러 가지 빛깔.	有명한 가수가 될 거예요. → 이름이 널리 알려짐.	間식을 먹어요. → 끼니 사이에 먹는 음식.	時간이 얼마나 지났지요? → 어떤 시각에서 시각까지의 사이.

男	子	主	夫
祖	孝	姓	名
世	安	百	千
不	正	算	數
空	每	同	少

夫 지아비 부

어夫가 고기를 잡아요.
➡ 고기 잡는 일을 직업으로
하는 사람.

主 임금/주인 주

지갑의 主인을 찾아요.
➡ 물건 등을 가진 사람.

子 아들 자

우리 부子는 닮았어요.
➡ 아버지와 아들.

男 사내 남

男동생이 두 명 있어요.
➡ 남자 동생.

名 이름 명

名찰을 달고 학교에 가요.
➡ 이름을 적어 가슴에 다
는 표.

姓 성 성

姓명을 적어 주세요.
➡ 성과 이름.

孝 효도 효

孝녀 심청을 읽었어요.
➡ 부모를 잘 섬기는 딸.

祖 할아비 조

祖상께 절을 해요.
➡ 어버이 위로 대대의
어른.

千 일천 천

千만 명이 모였어요.
➡ 만의 천 배가 되는 수.

百 일백 백

百방으로 노력했어요.
➡ 여러 가지 방법.

安 편안 안

불安한 마음이 들어요.
➡ 마음이 편하지 않음.

世 인간 세

전 世계를 여행했어요.
➡ 지구의 모든 나라.

數 셈 수

數학이 제일 재미있어요.
➡ 수를 공부하는 학문이
나 과목.

算 셈 산

물건값을 계算해요.
➡ 값을 치름. 수를 헤아림.

正 바를 정

부正 행동을 하면 안 돼요.
➡ 바르거나 옳지 못함.

不 아닐 불/부

밥이 너무 不족해요.
➡ 양이 충분하지 못함.

少 적을 소

상냥한 少녀를 만났어요.
➡ 아직 나이가 어린 여자
아이.

同 한가지 동

친구와 同시에 말했어요.
➡ 같은 때. 같은 시기.

每 매양 매

每일 일기를 써요.
➡ 하루하루의 모든 날.

空 빌 공

空간을 꾸며요.
➡ 아무것도 없는 빈 곳.

里 村 洞 邑

市 場 住 所

農 家 文 字

問 答 語 話

記 紙 漢 歌

邑 고을 읍

邑내 시장에 가요.
➜ 읍의 구역 안.

洞 골 동/밝을 통

洞구 밖에 꽃이 피었어요.
➜ 마을로 들어서는 목의 첫머리.

村 마을 촌

작은 어村이 있어요.
➜ 고기잡이하는 사람들이 사는 마을.

里 마을 리

里장 선거가 열렸어요.
➜ 이(里)의 일을 맡아보는 사람.

所 바 소

약속 장所를 정해요.
➜ 어떤 일이 일어나는 곳.

住 살 주

住민들이 모였어요.
➜ 일정한 지역에 살고 있는 사람.

場 마당 장

운동場에서 축구를 해요.
➜ 운동을 하기 위해 만든 넓은 마당.

市 저자 시

市장에서 물건을 사요.
➜ 물건을 사고파는 장소.

字 글자 자

숫字를 바르게 써요.
➜ 1, 2, 3처럼 수를 나타내는 글자.

文 글월 문

학급 文집을 만들어요.
➜ 시나 문장을 모아 엮은 책.

家 집 가

일家 친척이 모두 모였어요.
➜ 한집에서 사는 가족.

農 농사 농

우리 農산물을 먹어요.
➜ 농업으로 생산된 곡식, 채소 등.

話 말씀 화

대話를 해요.
➜ 마주하고 이야기를 주고받음.

語 말씀 어

국語 공부는 재미있어요.
➜ 우리나라의 말.

答 대답 답

친구에게 答장을 보내요.
➜ 물음이나 편지에 대답하는 편지를 보냄.

問 물을 문

수학 問제를 풀어요.
➜ 답을 얻기 위해 낸 물음.

歌 노래 가

歌요를 따라 불러요.
➜ 널리 사람들이 즐겨 부르는 노래.

漢 한수/한나라 한

漢강에 놀러 가요.
➜ 우리나라 중부 지역을 흐르는 강.

紙 종이 지

선생님께 편紙를 써요.
➜ 안부, 소식 등을 적어 보내는 글.

記 기록할 기

중요한 내용을 記억해요.
➜ 겪은 일을 마음에 새겨 두거나 생각해 냄.

工 立 車 來

旗 物 方 事

電 道 登 動

植 食 活 休

重 便 直 全

來 올 래

미來의 모습이 궁금해요.
➡ 올 날이나 때.

車 수레 거/차

자전車를 타요.
➡ 발로 발판을 밟아 움직이는 교통수단.

立 설 립

인간은 직立 동물이에요.
➡ 꼿꼿하게 바로 섬.

工 장인 공

시험 工부를 해요.
➡ 학문이나 기술을 배움.

事 일 사

事실을 말하고 싶어요.
➡ 실제로 있었던 일.

方 모 방

方향을 잘 모르겠어요.
➡ 어떤 곳을 향한 쪽.

物 물건 물

선物을 받았어요.
➡ 남에게 인사나 정을 나누기 위해 주는 물건.

旗 기 기

태극旗를 그려요.
➡ 대한민국의 국기.

動 움직일 동

체조 動작을 배웠어요.
➡ 몸이나 손발을 움직임.

登 오를 등

주말마다 登산을 해요.
➡ 산에 오름.

道 길 도

道로에 차가 많아요.
➡ 사람과 차가 다닐 수 있는 큰길.

電 번개 전

방의 電등을 켜요.
➡ 전구에 전기를 공급해서 빛을 내는 등.

休 쉴 휴

지금은 休식 시간이에요.
➡ 하던 일을 멈추고 쉼.

活 살 활

活력을 되찾았어.
➡ 살아 움직이는 힘.

食 밥/먹을 식

食사를 해요.
➡ 끼니로 음식을 먹음.

植 심을 식

오늘은 植목일이에요.
➡ 나무를 심기로 정한 날. 4월 5일.

全 온전 전

이게 제가 가진 全부예요.
➡ 한 부분이 아닌 전체.

直 곧을 직

종이에 直선을 그어요.
➡ 곧은 선.

便 편할 편/ 똥오줌 변

불便해도 참을 수 있어요.
➡ 몸, 마음이 편하지 않음.

重 무거울 중

重력이 작용해요.
➡ 지구가 지구 위의 물체를 당기는 힘.